How to use the red plastic card.

**1** Detach the plastic card.

station

**Wo ist**
.....................?

**2** Cover the page with the plastic card. The blank space in the sentence shows where there is a word missing.

der
Bahnhof

Wo ist
...............?

**3** Try to remember from the word lists the correct German word to complete the sentence.

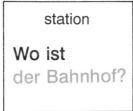

station

**Wo ist**
der Bahnhof?

**4** Slide the red plastic card to one side and the correct answer will appear in red.

# IMPROVE YOUR
# GERMAN

INVADER

This book has been especially devised to help you to learn everyday German words. You can easily learn a wide range of words and extend your vocabulary in an enjoyable way.

The book is divided into three levels: elementary, intermediate and advanced. Each level is divided into themes, such as family, sport, animals, clothes, and each theme has a list of German words to learn. Each word appears in a simple German sentence with the English translation.

The red plastic card is used with the exercises which follow the word lists. The answers to the exercises are in red type and they are hidden when the red plastic card is placed on the page.

This is how to use the plastic card:

1 *Cover the page with the red plastic card. The blank spaces indicate the words which are missing.*
2 *Say the German word you think should be used in the sentence.*
3 *Slide the red plastic card to one side and you will see whether you have chosen the correct word. The answer will appear in red.*

This is an ideal way to revise, as you can use the book over and over again.

At the back of the book you will find some of the most common verbs, lists of numbers, days, months, countries and their inhabitants. There is also an index to help you look up the words you want to learn or revise.

# CONTENTS

# CONTENTS

**A**

| | |
|---|---|
| accent | der Akzent |
| acne | die Akne |
| acrobat | der Akrobat |
| advent | der Advent |
| agile | agil |
| alarm | der Alarm |
| album | das Album |
| alcohol | der Alkohol |
| alibi | das Alibi |
| allergy | die Allergie |
| alligator | der Alligator |
| alphabet | das Alphabet |
| altar | der Altar |
| amateur | der Amateur |
| anemone | die Anemone |
| anorak | der Anorak |
| appetite | der Appetit |
| aquarium | das Aquarium |
| architect | der Architekt |
| argument | das Argument |
| atmosphere | die Atmosphäre |
| atom | das Atom |

**B**

| | |
|---|---|
| ballet | das Ballett |
| banana | die Banane |
| bandage | die Bandage |
| bank | die Bank |
| banquet | das Bankett |
| baritone | der Baritone |
| barometer | das Barometer |
| baron | der Baron |
| basketball | der Basketball |
| beer | das Bier |
| beige | beige |
| bible | die Bibel |
| bikini | der Bikini |
| bishop | der Bischof |
| blind | blind |
| bronze | die Bronze |
| buffet | das Büffet |

**C**

| | |
|---|---|
| cactus | der Kaktus |
| cafe | das Cafe |
| calorie | die Kalorie |
| camping | das Camping |
| canal | der Kanal |
| cell | die Zelle |
| cement | der Zement |
| centre | das Zentrum |
| chance | die Chance |
| character | der Charakter |
| charming | charmant |
| cheque | der Scheck |
| chiffon | der Chiffon |
| cholera | die Cholera |
| choral | choral |
| clever (smart) | clever |
| clown | der Clown |
| club | der Klub |
| cocktail | der Cocktail |
| computer | der Computer |
| concert | das Konzert |
| corrupt | korrupt |
| cosmetics | die Kosmetik |
| coupon | der Kupon |
| cousin | der Cousin, die Cousine |
| creation | die Kreation |
| crisis | die Krise |
| crystal | der Kristall |
| culture | die Kultur |
| cure | die Kur |
| curry | das Curry |
| cylinder | der Zylinder |

**D**

| | |
|---|---|
| date | das Datum |
| debate | die Debatte |
| decor | der Dekor |
| defect | der Defekt |
| defensive | defensiv |
| detective | der Detektiv |
| diplomat | der Diplomat |
| direct | direkt |
| discotheque | die Diskothek |
| disinfection | die Desinfektion |
| document | das Dokument |
| drill | der Drill |
| dual | das Duell |

**E**

| | |
|---|---|
| echo | das Echo |
| elastic | elastisch |
| elegant | elegant |
| element | das Element |
| elephant | der Elefant |
| end | das Ende |
| energy | die Energie |
| engineer | der Ingenieur |
| enzyme | das Enzym |
| exam | das Examen |
| expert | der Experte |
| extreme | extrem |

**F**

| | |
|---|---|
| fable | die Fabel |
| false | falsch |
| family | die Familie |
| fanfare | die Fanfare |
| fantasy | die Phantasie |
| farm | die Farm |
| to favour | favorisieren |
| figure | die Figur |
| film | der Film |
| flag | die Flagge |

**G**

| | |
|---|---|
| gallery | die Galerie |
| gallop | der Galopp |
| garage | die Garage |
| gas | das Gas |
| gazelle | die Gazelle |
| general | der General |
| generation | die Generation |
| geology | die Geologie |
| gold | das Gold |
| gorilla | der Gorilla |
| grass | das Gras |

**H**

| | |
|---|---|
| hair | das Haar |
| hamster | der Hamster |
| hand | die Hand |
| harem | der Harem |
| harmless | harmlos |
| harmonica | die Harmonika |
| hi-fi | die Hi-fi |

| | |
|---|---|
| hobby | das Hobby |
| horoscope | das Horoskop |
| hostess | die Hosteß |
| house | das Haus |
| hunger | der Hunger |

**I**

| | |
|---|---|
| ice | das Eis |
| illusion | die Illusion |
| index | der Index |
| initiative | die Initiative |
| injection | die Injektion |
| insect | das Insekt |
| instinct | der Instinkt |
| instrument | das Instrument |
| intense | intensiv |
| interesting | interessant |
| interval | das Intervall |
| interview | das Interview |
| intimate | intim |
| irony | die Ironie |
| Islam | der Islam |
| isolation | die Isolation |

**J**

| | |
|---|---|
| jade | die Jade |
| jeans | die Jeans |
| jeep | der Jeep |
| job | der Job |
| jockey | der Jockey |
| journal | das Journal |
| July | Juli |
| June | Juni |
| justice | die Justiz |

**L**

| | |
|---|---|
| lamb | das Lamm |
| land | das Land |
| laser | der Laser |
| lasso | das Lasso |
| latin | das Latein |
| lavender | der Lavendel |
| legal | legal |
| lemonade | die Limonade |
| leopard | der Leopard |
| liberal | liberal |
| lip | die Lippe |

**M**

| | |
|---|---|
| machine | die Maschine |
| magazine | das Magazin |
| magistrate | der Magistrat |
| make-up | das Make-up |
| man | der Mann |
| mannequin | das Mannequin |
| manœuvre | das Manöver |
| margarine | die Margarine |
| marinade | die Marinade |
| massage | die Massage |
| mast | der Mast |
| maths | die Mathe |
| mayonnaise | die Mayonnaise |
| mechanic | der Mechaniker |
| medicine | die Medizin |
| microscope | das Microskop |
| mouse | die Maus |
| muscle | der Muskel |
| musical | musikalisch |

**N**

| | |
|---|---|
| name | der Name |
| nation | die Nation |
| nature | die Natur |
| navigation | die Navigation |
| negative | negativ |
| nest | das Nest |
| nicotine | das Nikotin |
| nonsense | der Nonsens |
| noodle | die Nudel |
| number | die Nummer |
| nylon | das Nylon |

**O**

| | |
|---|---|
| oasis | die Oase |
| object | das Objekt |
| oboe | die Oboe |
| ocean | der Ozean |
| octave | die Oktav |
| olive | die Olive |
| omelette | das Omelett |
| opera | die Oper |
| operation | die Operation |
| opium | das Opium |
| orchestra | das Orchester |
| organisation | die Organisation |
| original | originell |
| otter | der Otter |

**P**

| | |
|---|---|
| panorama | das Panorama |
| park | der Park |
| parliament | das Parlement |
| partner | der Partner |
| party | die Party |
| passion | die Passion |
| patient | der Patient |
| pause | die Pause |
| pedal | das Pedal |
| penguin | der Pinguin |
| perfume | das Parfum |
| photo | das Photo |
| plus | plus |
| poetic | poetisch |
| police | die Polizei |
| politics | die Politik |
| porcelain | das Porzellan |
| profit | der Profit |
| programme | das Programm |

**Q**

| | |
|---|---|
| quality | die Qualität |
| quartet | das Quartett |

**R**

| | |
|---|---|
| radical | radikal |
| radio | das Radio |
| rage | die Rage |
| rat | die Ratte |
| rational | rational |
| to reduce | reduzieren |
| region | die Region |
| relative | relativ |
| religion | die Religion |
| republic | die Republik |
| respect | der Respekt |
| restaurant | das Restaurant |
| result | das Resultat |
| rhinoceros | das Rhinozeros |
| robot | der Roboter |
| rose | die Rose |

**S**

| | |
|---|---|
| sabotage | die Sabotage |
| sand | der Sand |
| sandwich | der Sandwich |
| satellite | der Satellit |
| scandal | der Skandal |
| scene | die Szene |
| separate | separat |
| September | September |
| shame | die Scham |
| shampoo | das Shampoo |
| ship | das Schiff |
| shoe | der Schuh |
| signal | das Signal |
| ski | der Ski |
| snob | der Snob |
| social | sozial |
| sport | der Sport |
| stress | der Streß |
| structure | die Struktur |
| studio | das Studio |
| super | super |

**T**

| | |
|---|---|
| tablet | die Tablett |
| talent | das Talent |
| tandem | das Tandem |
| tank | der Tank |
| taxi | das Taxi |
| team | das Team |
| teddy bear | das Teddybär |
| telephone | das Telefon |
| temperature | die Temperatur |
| temple | der Tempel |
| terrace | die Terrasse |
| test | der Test |
| testament | das Testament |

| | |
|---|---|
| thousand | tausend |
| tobacco | der Tabak |
| tractor | der Traktor |
| transparent | transparent |

**U**

| | |
|---|---|
| ultimatum | das Ultimatum |
| union | die Union |
| utensil | das Utensil |

**V**

| | |
|---|---|
| vacuum | das Vakuum |
| vagabond | der Vagabund |
| vegetarian | vegetarisch |
| vein | die Vene |
| veteran | der Veteran |
| villa | die Villa |
| violin | die Violine |
| virus | der Virus |
| vitamin | das Vitamin |
| volume | das Volumen |

**W**

| | |
|---|---|
| warm | warm |
| to wash | waschen |
| wax | das Wachs |
| whisky | der Whisky |
| wine | der Wein |

**X**

| | |
|---|---|
| xylophone | das Xylophon |

**Y**

| | |
|---|---|
| yoghurt | der Joghurt |
| young | jung |

**Z**

| | |
|---|---|
| zebra | das Zebra |
| zigzag | zigzag |
| zinc | das Zink |
| zone | die Zone |
| zoo | der Zoo |

## THE FAMILY

| | |
|---|---|
| family<br>die Familie | My family is very large.<br>Meine Familie ist sehr groß. |
| parents<br>die Eltern | This is a photograph of my parents.<br>Dies ist ein Bild meiner Eltern. |
| father<br>der Vater | His father is the mayor.<br>Sein Vater ist Bürgermeister. |
| mother<br>die Mutter | My mother is baking a cake.<br>Meine Mutter backt einen Kuchen. |
| child<br>das Kind | Her child likes playing outside.<br>Ihr Kind spielt gerne draußen. |
| son<br>der Sohn | Paul is Anna's son.<br>Paul ist Annas Sohn. |
| daughter<br>die Tochter | Their daughter is 18 years old.<br>Ihre Tochter ist 18 Jahre alt. |
| to marry<br>heiraten | They are getting married soon.<br>Sie heiraten bald. |
| brother<br>der Bruder | My brother is younger than I am.<br>Mein Bruder ist jünger als ich. |
| sister<br>die Schwester | Your sister works in an office.<br>Deine Schwester arbeitet in einem Büro. |
| grandfather<br>der Großvater | Grandfather lives with us.<br>Großvater wohnt bei uns. |
| grandmother<br>die Großmutter | How old is your grandmother?<br>Wie alt ist deine Großmutter? |
| uncle<br>der Onkel | Uncle Fred is American.<br>Onkel Fred ist Amerikaner. |
| aunt<br>die Tante | Aunt Fiona is Irish.<br>Tante Fiona ist Irin. |
| mummy<br>die Mutti | We call her 'Mummy'.<br>Wir nennen sie 'Mutti'. |

*die Eltern

*der Vater

*die Mutter

*die Kinder

*der Sohn

*die Tochter

They call him 'Daddy'.
Sie nennen ihn 'Vati'.

daddy
der Vati

His grandson is like him.
Sein Enkel ist ihm ähnlich.

grandson
der Enkel

My granddaughter was born in June.
Meine Enkelin ist im Juni geboren.

granddaughter
die Enkelin

Your cousin is in my class.
Deine Cousine ist in meiner Klasse.

cousin (f)
die Cousine

My cousin is called James.
Mein Cousin heißt James.

cousin (m)
der Cousin

## THE FAMILY

**I. Translate the words underlined.**

* They are <u>getting married</u> in May.
  Sie heiraten im Mai.

* These are my <u>parents</u>.
  Dies sind meine Eltern.

* Frank is their eldest <u>son</u>.
  Frank ist ihr ältester Sohn.

* How old is your <u>grandfather</u>?
  Wie alt ist dein Großvater?

* She has four <u>granddaughters</u>.
  Sie hat vier Enkelinnen.

* I call my mother '<u>Mummy</u>'.
  Ich nenne meine Mutter 'Mutti'.

* He has one <u>male cousin</u> and one <u>female cousin</u>.
  Er hat einen Cousin und eine Cousine.

* They would like to have a <u>child</u>.
  Sie möchten gerne ein Kind haben.

* Our <u>family</u> lives in England.
  Unsere Familie wohnt in England.

* Your <u>uncle</u> is a policeman.
  Dein Onkel ist Polizist.

* I haven't got a <u>brother</u>.
  Ich habe keinen Bruder.

* She is playing with her little <u>sister</u>.
  Sie spielt mit ihrer kleinen Schwester.

**II. Give the feminine of the following words.**

* der Onkel        : die Tante
* der Bruder       : die Schwester
* der Großvater    : die Großmutter

## DIE FAMILIE

* der Sohn        : die Tochter
* der Vati        : die Mutti

### III.  Give the masculine of the following words.

* die Cousine     : der Cousin
* die Enkelin     : der Enkel
* die Mutter      : der Vater
* die Schwester   : der Bruder
* die Tante       : der Onkel

*mein Großvater   *meine Großmutter

*mein Vater  *meine Mutter

*mein Onkel  *meine Tante

*mein Bruder  *meine Schwester  *Das bin ich!

### THE HUMAN BODY

| | |
|---|---|
| body<br>der Körper | His whole body hurt after the game of tennis.<br>Nach dem Tennisspiel hat ihm der ganze Körper wehgeta |
| health<br>die Gesundheit | We enjoy good health.<br>Wir erfreuen uns guter Gesundheit. |
| ill, sick<br>krank | She is ill and is staying in bed.<br>Sie ist krank und liegt im Bett. |
| illness, sickness<br>die Krankheit | He is suffering from a serious illness.<br>Er leidet an einer schweren Krankheit. |
| to recover<br>sich erholen | That is the only way to recover.<br>Das ist die einzige Möglichkeit sich zu erholen. |
| mouth<br>der Mund | She has a sweet in her mouth.<br>Sie hat ein Bonbon im Mund. |
| nose<br>die Nase | Your nose is all red.<br>Deine Nase ist ganz rot. |
| ear<br>das Ohr | She has small ears.<br>Sie hat kleine Ohren. |
| foot<br>der Fuß | He has big feet.<br>Er hat große Füße. |
| hand<br>die Hand | I wash my hands.<br>Ich wasche mir die Hände. |
| head<br>der Kopf | Peter has a hat on his head.<br>Peter hat eine Mütze auf dem Kopf. |
| leg<br>das Bein | My mother has broken her leg.<br>Meine Mutter hat das Bein gebrochen. |
| arm<br>der Arm | She holds her son in her arms.<br>Sie hält ihren Sohn auf dem Arm. |
| hair<br>das Haar/die Haare | Grandfather has white hair.<br>Großvater hat weiße Haare. |
| eye<br>das Auge | She has blue eyes.<br>Sie hat blaue Augen. |

## DER KÖRPER

He has a round face.
Er hat ein rundes Gesicht.

face
das Gesicht

He has a very strong back.
Er hat einen breiten Rücken.

back
der Rücken

The baby is lying on his stomach.
Das Baby liegt auf dem Bauch.

stomach
der Bauch

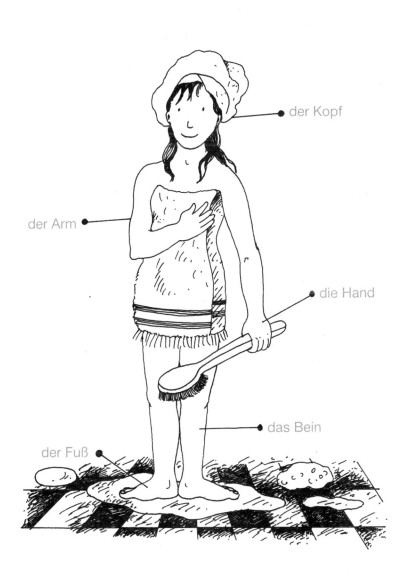

der Kopf

der Arm

die Hand

das Bein

der Fuß

## THE HUMAN BODY

**I. Give the German word for the part of the body...**

| | |
|---|---|
| ... that you hear with | : das Ohr |
| ... that you see with | : das Auge |
| ... that you smell with | : die Nase |
| ... that you eat with | : der Mund |
| ... that has 5 toes | : der Fuß |
| ... that has 5 fingers | : die Hand |
| ... that your ears are attached to | : der Kopf |
| ... that is between your shoulder and your wrist | : der Arm |
| ... that is between your hip and your foot | : das Bein |
| ... that grows on your head | : das Haar |

**II. What do the following drawings represent? – three alternatives are given and the correct answer is underlined in red.**

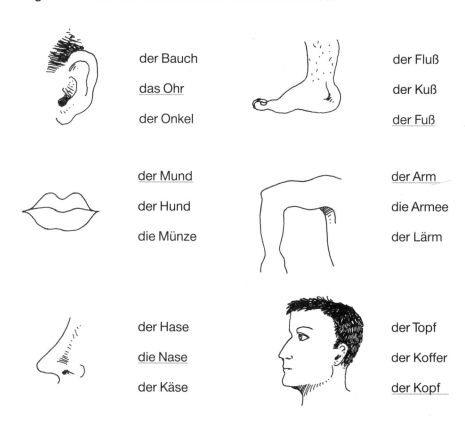

| | | | |
|---|---|---|---|
| der Bauch | | der Fluß | |
| <u>das Ohr</u> | | der Kuß | |
| der Onkel | | <u>der Fuß</u> | |
| <u>der Mund</u> | | <u>der Arm</u> | |
| der Hund | | die Armee | |
| die Münze | | der Lärm | |
| der Hase | | der Topf | |
| <u>die Nase</u> | | der Koffer | |
| der Käse | | <u>der Kopf</u> | |

### III. Complete the sentences using words from the following list.

der Mund – der Arm – das Haar – der Körper – sich erholen –
die Krankheit – der Kopf – das Gesicht – die Augen

* He can't see very well. His eyes are inflamed.
  Er kann schlecht sehen. Seine Augen sind entzündet.

* Your face has suddenly gone pale.
  Dein Gesicht ist plötzlich ganz bleich geworden.

* She is suffering from an illness, but she will soon recover.
  Sie leidet an einer Krankheit, aber sie wird sich bald erholen.

* He has blond hair.
  Er hat blondes Haar.

* We should look after our bodies.
  Wir müssen unseren Körper gut pflegen.

* The dentist says 'Open your mouth.'
  Der Zahnarzt sagt 'Mach deinen Mund auf!'

* She is holding his arm.
  Sie hält seinen Arm.

* The soldier has injured his head.
  Der Soldat hat sich den Kopf verletzt.

### IV. Find the following four parts of the body.

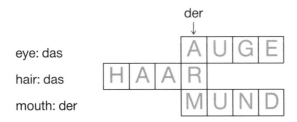

der ↓

eye: das   A U G E

hair: das   H A A R

mouth: der   M U N D

## CLOTHING

shirt
das Hemd

My shirt is dirty.
Mein Hemd ist dreckig.

sweater
der Pullover

The sweater does not shrink when washed.
Der Pullover läuft nicht ein, wenn er gewaschen wird.

blouse
die Bluse

She is wearing a green blouse.
Sie hat eine grüne Bluse an.

clothes
die Kleider

She is buying new clothes.
Sie kauft neue Kleider.

skirt
der Rock

She is wearing a long skirt.
Sie trägt einen langen Rock.

dress
das Kleid

The bride is wearing a white dress.
Die Braut trägt ein weißes Kleid.

trousers
die Hose

He is wearing black trousers.
Er hat eine schwarze Hose an.

shorts
Die kurze Hose

Little boys wear shorts.
Kleine Jungs tragen kurze Hosen.

divided skirt
der Hosenrock

She likes wearing divided skirts.
Sie trägt gerne Hosenröcke.

to get dressed
sich anziehen

He can get dressed on his own.
Er kann sich alleine anziehen.

to get undressed
sich ausziehen

Sometimes you have to get undressed at the doctor's.
Manchmal muß man sich beim Arzt ausziehen.

sock
die Socke

There is a hole in your sock.
Deine Socke hat ein Loch.

tights
die Strumpfhose

She is wearing tights today.
Heute hat sie eine Strumpfhose an.

shoe
der Schuh

He has bought shoes that are too small.
Er hat zu kleine Schuhe gekauft.

to sew
nähen

She is sewing herself a dress for the party.
Sie näht sich ein Kleid für die Party.

She is knitting a sweater.
Sie strickt einen Pullover.

to knit
stricken

What shall I wear tomorrow?
Was soll ich morgen anziehen?

to wear
anziehen

*der Hut

*der Rock

*die Hose

*der Mantel

*die Schuhe

*die Socke

*der Pullover

The sleeves of this coat are too short.
Die Ärmel dieses Mantels sind zu kurz.

coat
der Mantel

Grandfather has an old hat.
Großvater hat einen alten Hut.

hat
der Hut

## CLOTHING

**I. Which words can you make using the letters below? Look at the pictures carefully.**

der Mantel

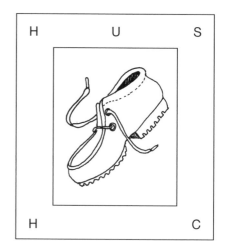

der Schuh

der Pullover

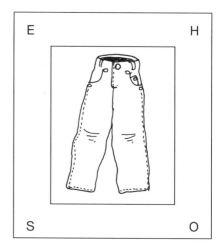

die Hose

**II. There are eight articles of clothing hidden in the grid. Look for them horizontally, vertically and diagonally.**

```
O   R   S   O   C   K   E   B   D
M   A   N   T   E   L   P   Q   I
T   S   R   H   F   N   U   T   E
K   D   S   C   U   O   L   D   L
L   Y   C   H   I   T   M   O   K
E   B   H   O   S   E   F   C   J
I   X   U   E   H   J   L   K   F
D   Z   H   B   M   O   N   W   R
A   F   W   A   D   D   S   A   N
Z   C   R   R   O   C   K   P   Y
```

**Solution:** Hut, Socke, Rock, Mantel, Hose, Kleid, Schuh, Hemd

**III. Translate the following words.**

* to knit            : stricken
* to get dressed     : sich anziehen
* to wear clothes    : Kleider tragen
* to get undressed   : sich ausziehen

## AT MEALTIMES

| | |
|---|---|
| to eat<br>essen | I like eating pancakes with sugar.<br>Ich esse gerne Pfannkuchen mit Zucker. |
| to drink<br>trinken | Would you like to drink tea or coffee?<br>Möchtest du Tee oder Kaffee trinken? |
| breakfast<br>das Frühstück | I eat my breakfast at 7 o' clock.<br>Ich esse mein Frühstück um 7 Uhr. |
| lunch<br>das Mittagessen | I have my lunch at half past twelve.<br>Ich habe mein Mittagessen um halb eins. |
| supper, dinner<br>das Abendessen | After supper, my father drinks a glass of brandy.<br>Nach dem Abendessen trinkt mein Vater ein Glas Cognac. |
| meal<br>die Mahlzeit | I eat three meals every day.<br>Ich nehme drei Mahlzeiten am Tag zu mir. |
| main course<br>das Hauptgericht | I don't like the main course.<br>Ich mag das Hauptgericht nicht. |
| to cook<br>kochen | She is cooking the meat.<br>Sie kocht das Fleisch. |
| dish, course<br>das Gericht | I will order the next course.<br>Ich bestelle das nächste Gericht. |
| plate<br>der Teller | My plate is empty.<br>Mein Teller ist leer. |
| glass<br>das Glas | She has some wine in her glass.<br>Sie hat etwas Wein in ihrem Glas. |
| bottle<br>die Flasche | The bottle is empty.<br>Die Flasche ist leer. |
| fork<br>die Gabel | He eats his cake with a fork.<br>Er ißt seinen Kuchen mit einer Gabel. |
| spoon<br>der Löffel | He eats yoghurt with a spoon.<br>Er ißt den Joghurt mit einem Löffel. |
| knife<br>das Messer | He cuts the meat with a knife.<br>Er schneidet das Fleisch mit einem Messer. |

| | |
|---|---|
| Would you like a cup of coffee? | cup |
| Möchtest du eine Tasse Kaffee? | die Tasse |
| | |
| The soup is very hot. | soup |
| Die Suppe ist sehr heiß. | die Suppe |
| | |
| Which dessert would you like? | dessert |
| Welchen Nachtisch möchtest du? | der Nachtisch |
| | |
| We are not having a starter. | starter, first course |
| Wir nehmen keine Vorspeise. | die Vorspeise |
| | |
| I hope you enjoy your meal! | enjoy your meal! |
| Ich wünsche Ihnen einen guten Appetit! | guten Appetit! |
| | |
| We are thirsty after the bike ride. | to be thirsty |
| Nach der Radtour sind wir durstig. | durstig sein |
| | |
| You can't be hungry again. | to be hungry |
| Du kannst nicht schon wieder Hunger haben. | Hunger haben |

*das Frühstück

*das Mittagessen

*das Abendessen

*die Vorspeise

*die Suppe

*das Hauptgericht

*der Nachtisch

## AT MEALTIMES

**I. Find the correct translation from the three alternatives given.**

glass
* das Gras
* die Rasse
* das Glas

to drink
* sinken
* trinken
* tanken

soup
* die Puppe
* die Suppe
* der Bube

knife
* das Messer
* das Essen
* der Sessel

dessert
* die Nacht
* der Nachbar
* der Nachtisch

bottle
* die Tasche
* der Flansch
* die Flasche

**II. Ich sehe (I see)...**

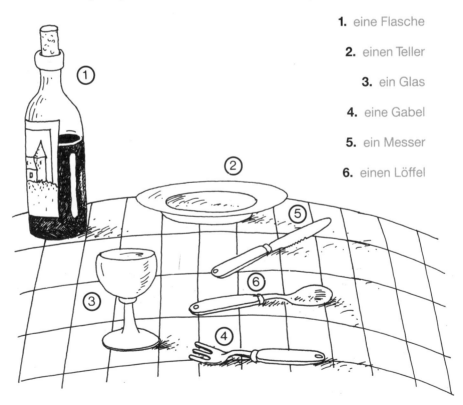

1. eine Flasche

2. einen Teller

3. ein Glas

4. eine Gabel

5. ein Messer

6. einen Löffel

### III. Translate the words underlined.

\* You have to <u>cook</u> the meat for 10 minutes.
Du mußt das Fleisch 10 Minuten kochen.

\* I have broken a <u>glass</u>.
Ich habe ein Glas zerbrochen.

. \* The <u>knives</u> are made of stainless steel.
Die Messer sind aus rostfreiem Stahl.

\* She drinks a <u>cup</u> of tea.
Sie trinkt eine Tasse Tee.

\* What would you like to <u>drink</u>?
Was möchtest du trinken?

\* You have to shake the <u>bottle</u> before opening it.
Du mußt die Flasche vor dem Öffnen schütteln.

\* We eat spaghetti with a <u>fork</u> and <u>spoon</u>.
Wir essen Spaghetti mit einer Gabel und einem Löffel.

\* The meat is served on a <u>plate</u>.
Das Fleisch wird auf einem Teller serviert.

\* I'm not <u>hungry</u> any more.
Ich habe keinen Hunger mehr.

\* Which <u>starter</u> would you like?
Welche Vorspeise möchtest du?

### IV  Which meal do you have...

... in the morning?  das Frühstück
... at midday?        das Mittagessen
... in the evening?  das Abendessen

## FOOD AND DRINK

| | |
|---|---|
| meat<br>das Fleisch | I would like my meat well-done.<br>Ich möchte mein Fleisch durchgebraten. |
| vegetable<br>das Gemüse | A tomato is not a vegetable.<br>Eine Tomate ist kein Gemüse. |
| fruit<br>das Obst | Don't forget to buy some fruit.<br>Vergiß nicht, etwas Obst zu kaufen. |
| fish<br>der Fisch | We eat fish on Fridays.<br>Freitags essen wir Fisch. |
| bread<br>das Brot | Would you like some butter with your bread?<br>Möchtest du Butter zu deinem Brot? |
| apple<br>der Apfel | I eat an apple every day.<br>Ich esse jeden Tag einen Apfel. |
| pear<br>die Birne | The pears are ripe.<br>Die Birnen sind reif. |
| orange<br>die Apfelsine | An orange contains vitamin C.<br>Eine Apfelsine enthält Vitamin C. |
| egg<br>das Ei | I would like a boiled egg.<br>Ich möchte ein gekochtes Ei. |
| ham<br>der Schinken | He doesn't sell smoked ham.<br>Er verkauft keinen geräucherten Schinken. |
| cheese<br>der Käse | We have English cheese.<br>Wir haben englische Käse. |
| butter<br>die Butter | The butter has to be melted.<br>Die Butter muß geschmolzen werden. |
| salt<br>das Salz | I have added a little salt.<br>Ich habe ein bißchen Salz hinzugefügt. |
| sugar<br>der Zucker | Would you like a spoonful of sugar?<br>Möchtest du einen Löffel Zucker? |
| drink<br>das Getränk | We are having a cold drink.<br>Wir trinken ein kaltes Getränk. |

Milk must be kept in a cool place.
Die Milch muß an einem kühlen Platz
aufbewahrt werden.

milk
die Milch

This coffee comes from Brazil.
Dieser Kaffee kommt aus Brasilien.

coffee
der Kaffee

The tea is still very hot.
Der Tee ist immer noch sehr heiß.

tea
der Tee

He drinks a glass of water.
Er trinkt ein Glas Wasser.

water
das Wasser

das Brot

das Getränk

* das Fleisch    * das Gemüse    * das Obst    * der Fisch

## FOOD AND DRINK

**I. Fill in the words horizontally.**

ham

W A S S E R
F I S C H
M I L C H
E I
A P F E L S I N E
Z U C K E R
T E E
B I R N E

**II. Translate.**

| | |
|---|---|
| butter | : die Butter |
| cheese | : der Käse |
| egg | : das Ei |
| apple | : der Apfel |
| pear | : die Birne |
| sugar | : der Zucker |
| salt | : das Salz |
| tea | : der Tee |
| coffee | : der Kaffee |
| milk | : die Milch |

### III. Put these words into the correct pairs.

a. der Kaffee
b. der Fisch
c. das Brot
d. das Salz
e. der Käse

1. die Butter
2. der Schinken
3. die Milch
4. der Zucker
5. das Fleisch

**Answers:** a3, b5, c1, d4, e2

### IV. Translate the words underlined.

* He drinks <u>tea</u> and <u>coffee</u> with <u>milk</u>.
  Tee und Kaffee trinkt er mit Milch.

* I buy <u>meat</u> at the butcher's.
  Ich kaufe das Fleisch bei der Fleischerei.

* Cod is a type of <u>fish</u>.
  Der Kabeljau ist ein Fisch.

* Do you spread <u>butter</u> on your <u>bread</u>?
  Streichst du Butter auf dein Brot?

* She buys <u>vegetables</u> and <u>fruit</u> at the market.
  Sie kauft Gemüse und Obst auf dem Markt.

* The greengrocer sells <u>apples</u>, <u>pears</u> and <u>oranges</u>.
  Der Gemüsehändler verkauft Äpfel, Birnen und Apfelsinen.

* They sell <u>cheese</u> and <u>ham</u> in this shop.
  In diesem Geschäft verkaufen sie Käse und Schinken.

* Pass the <u>salt</u> and pepper, please.
  Geben Sie mir bitte Salz und Pfeffer.

* Hens, ducks and pigeons lay <u>eggs</u>.
  Hühner, Enten und Tauben legen Eier.

* Go to the butcher's and buy some <u>meat</u>!
  Geh zur Fleischerei und kauf etwas Fleisch!

## THE HOME

| | |
|---|---|
| house<br>das Haus | This house is expensive.<br>Dieses Haus ist teuer. |
| room<br>das Zimmer | How many rooms are there?<br>Wieviele Zimmer gibt es hier? |
| garden<br>der Garten | The garden is full of flowers.<br>Der Garten ist voller Blumen. |
| door<br>die Tür | The door is always closed.<br>Die Tür ist immer geschlossen. |
| window<br>das Fenster | Open the window, Peter!<br>Öffne das Fenster, Peter! |
| wall (outside)<br>die Mauer | The Berlin wall no longer exists.<br>Die Berliner Mauer existiert nicht mehr. |
| staircase, stairs<br>die Treppe | This staircase has 160 steps.<br>Diese Treppe hat 160 Stufen. |
| to build<br>bauen | They want to build a house.<br>Sie wollen ein Haus bauen. |
| to rent<br>mieten | I would like to rent a flat on the coast.<br>Ich möchte eine Wohnung an der Küste mieten. |
| to live<br>wohnen | We want to live in the town centre.<br>Wir wollen in der Stadtmitte wohnen. |
| kitchen<br>die Küche | The kitchen looks out on the garden.<br>Die Küche liegt zum Garten hin. |
| dining room<br>das Eßzimmer | The dining room is next to the living room.<br>Das Eßzimmer ist neben dem Wohnzimmer. |
| furniture<br>das Möbel | They want classical furniture.<br>Sie wollen klassische Möbel. |
| chair<br>der Stuhl | Take a chair and sit down.<br>Nimm einen Stuhl und setz dich. |
| table<br>der Tisch | There is a lovely vase on the table.<br>Es ist eine schöne Vase auf dem Tisch. |

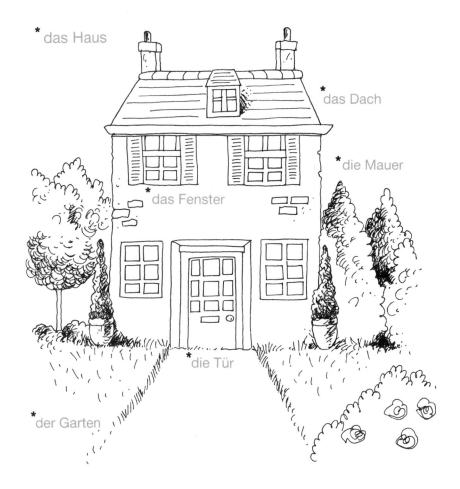

* das Haus

* das Dach

* die Mauer

das Fenster

die Tür

* der Garten

| | |
|---|---|
| The big cupboard is very useful. | cupboard |
| Der große Schrank ist sehr nützlich. | der Schrank |
| | |
| The bathroom is upstairs. | bathroom |
| Das Badezimmer ist oben. | das Badezimmer |
| | |
| This is a comfortable bed. | bed |
| Dies ist ein bequemes Bett. | das Bett |
| | |
| We live in a house with a red roof. | roof |
| Wir wohnen in einem Haus mit einem roten Dach. | das Dach |

## THE HOME

**I. What do the following pictures represent? There are three alternatives given. The correct answer is underlined in red.**

die Treppe

das Dach

die Küche

das Esszimmer

der Garten

das Badezimmer

der Tisch

der Stuhl

die Tür

das Bett

das Dach

die Mauer

der Stuhl

der Schrank

das Bett

der Garten

der Stuhl

der Tisch

**II. Choose the correct translation for the following words:**

**window**
- das Fenster
- die Küche

**to live**
- mieten
- wohnen

**door**
- die Tür
- der Tisch

**room**
- der Stuhl
- das Zimmer

**to build**
- bauen
- mieten

**garden**
- das Haus
- der Garten

**bed**
- das Möbel
- das Bett

**staircase**
- die Treppe
- der Schrank

**chair**
- der Stuhl
- die Mauer

### III. Translate the words underlined.

* This <u>wall</u> is very high.
  Diese Mauer ist sehr hoch.

* This <u>house</u> has big <u>windows</u>.
  Dieses Haus hat große Fenster.

* The <u>door</u> leads to the <u>garden</u>.
  Die Tür führt zum Garten.

* He goes up the <u>stairs</u> to his room.
  Er geht die Treppe hoch in sein Zimmer.

* She lifts the <u>chairs</u> on to the <u>table</u> before cleaning the floor.
  Sie hebt die Stühle auf den Tisch, bevor sie den Fußboden putzt.

* The <u>kitchen</u> is next to the <u>dining room</u>.
  Die Küche liegt neben dem Eßzimmer.

* Have you got <u>furniture</u> in the rented flat?
  Hast du Möbel in der gemieteten Wohnung?

* His <u>bed</u> and <u>cupboard</u> are made out of the same type of wood.
  Sein Bett und der Schrank sind aus dem gleichen Holz gemacht.

### IV. Arrange the pairs of letters to make two words. Be careful – each column has two pairs of letters too many.

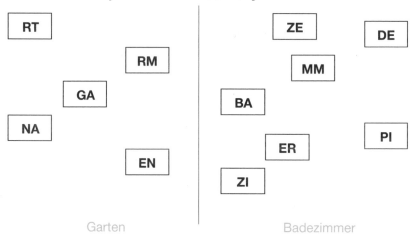

RT    ZE    DE

RM    MM

GA    BA

NA    PI

EN    ER

ZI

Garten          Badezimmer

## SPORT

| | |
|---|---|
| game<br>das Spiel | It's only a game.<br>Es ist nur ein Spiel. |
| player (male)<br>der Spieler | A player was sent off the pitch.<br>Ein Spieler wurde vom Spielfeld gewiesen. |
| player (female)<br>die Spielerin | She is a well-known tennis player.<br>Sie ist eine bekannte Tennisspielerin. |
| point<br>der Punkt | Who has scored a point?<br>Wer hat einen Punkt erzielt? |
| success<br>der Erfolg | He tries to make a success of it.<br>Er versucht Erfolg zu haben. |
| victory<br>der Sieg | She deserved the victory.<br>Sie hat den Sieg verdient. |
| to train<br>trainieren | You have to train a lot.<br>Du mußt viel trainieren. |
| to win<br>gewinnen | Are they going to win this evening?<br>Werden sie heute abend gewinnen? |
| to lose<br>verlieren | Who is going to lose the game?<br>Wer wird das Spiel verlieren? |
| athletic<br>sportlich | We're not all athletic.<br>Wir sind nicht alle sportlich. |
| football<br>der Fußball | He is playing football tomorrow.<br>Morgen spielt er Fußball. |
| basketball<br>der Basketball | She plays basketball on Fridays.<br>Freitags spielt sie Basketball. |
| to swim<br>schwimmen | He likes going swimming.<br>Er geht gerne schwimmen. |
| cycling<br>das Radfahren | Cycling is very popular in Europe.<br>Radfahren ist in Europa sehr beliebt. |
| athletics<br>die Leichtathletik | Athletics requires energy and stamina.<br>Die Leichtathletik erfordert Energie und Ausdauer. |

Gymnastics is an Olympic sport.
Gymnastik ist eine olympische Sportart.

gymnastics
die Gymnastik

They go skiing in winter.
Im Winter gehen sie skilaufen.

to ski
skilaufen

There were fewer than 200 spectators.
Es waren weniger als 200 Zuschauer.

spectator
der Zuschauer

There are not many women spectators.
Es sind wenige Zuschauerinnen.

female spectator
die Zuschauerin

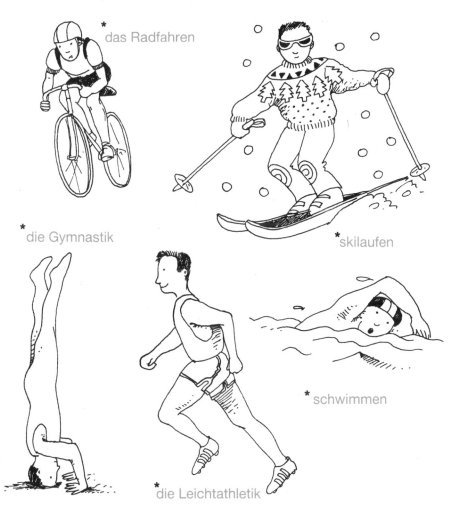

\* das Radfahren

\* die Gymnastik

\* skilaufen

\* schwimmen

\* die Leichtathletik

## SPORT

### I. Give the correct German word.

player
der Spieler

female player
die Spielerin

to lose
verlieren

to win
gewinnen

### II. Humour

### III. Translate the words underlined.

* They have to <u>train</u> a lot to stay fit.
  Sie müssen viel trainieren, um fit zu bleiben.

* She plays a lot of tennis – she is very <u>athletic</u>.
  Sie spielt viel Tennis – sie ist sehr sportlich.

* It is better <u>to win</u> than <u>to lose</u> but it's only a <u>game</u>, after all.
  Es ist besser zu gewinnen als zu verlieren, aber es ist ja nur ein Spiel.

* <u>Football</u> is more popular in Europe than in America.
  Fußball ist in Europa beliebter als in Amerika.

* <u>Women spectators</u> like watching gymnastics.
  Zuschauerinnen sehen gerne der Gymnastik zu.

* <u>Cycling</u> makes you fit.
  Radfahren macht fit.

* <u>Athletics</u> is practised in most schools.
  Leichtathletik wird in den meisten Schulen geübt.

* They needed one point <u>to win</u>.
  Sie brauchten einen Punkt, um zu gewinnen.

* <u>Swimming</u> is good for the whole body.
  Schwimmen ist für den ganzen Körper wohltuend.

* He goes <u>skiing</u> in Austria every year.
  Jedes Jahr läuft er in Österreich Ski.

* In <u>basketball</u> you must not touch the ball with your feet.
  Beim Basketball darf man den Ball nicht mit dem Fuß berühren.

## CULTURE

culture
die Kultur

Every country has a different culture.
Jedes Land hat eine andere Kultur.

art
die Kunst

Do you like art?
Liebst du die Kunst?

literature
die Literatur

Do you know any American literature?
Kennst du amerikanische Literatur?

music
die Musik

I'm studying music at the music academy.
Ich studiere Musik an der Musikakademie.

dance
der Tanz

The polka is a dance.
Die Polka ist ein Tanz.

painting
die Malerei

What do you think of modern painting?
Was hältst du von moderner Malerei?

sculpture
die Bildhauerei

We're studying sculpture.
Wir studieren Bildhauerei.

museum
das Museum

The museum is open every day.
Das Museum ist jeden Tag geöffnet.

exhibition
die Ausstellung

I was at the exhibition.
Ich war bei der Ausstellung.

library
die Bücherei

I have borrowed a book from the library.
Ich habe ein Buch von der Bücherei geliehen.

book
das Buch

The book is about art.
Das Buch hat mit Kunst zu tun.

education
die Ausbildung

He had a good education at school.
Er hatte in der Schule eine gute Ausbildung.

architecture
die Architektur

He studied architecture for two years.
Er hat zwei Jahre Architektur studiert.

theatre
das Theater

My uncle often goes to the theatre.
Mein Onkel geht oft ins Theater.

cinema
das Kino

The cinema has an emergency exit.
Das Kino hat einen Notausgang.

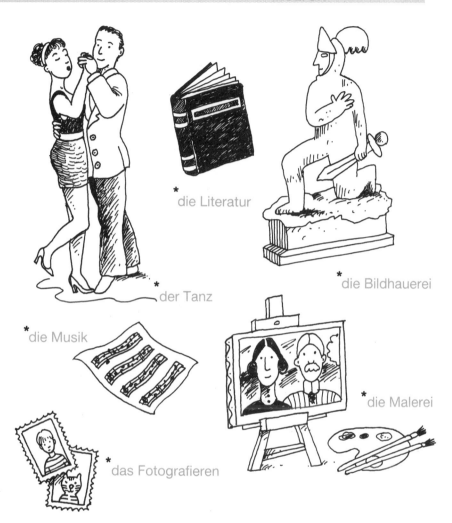

* die Literatur

* die Bildhauerei

* der Tanz

* die Musik

* die Malerei

* das Fotografieren

I don't understand anything about photography.
Ich verstehe nichts vom Fotografieren.

photography
das Fotografieren

He is taking his son to the circus.
Er nimmt seinen Sohn mit zum Zirkus.

circus
der Zirkus

Do you watch much television?
Guckst du viel Fernsehen?

television
das Fernsehen

I turn the radio on.
Ich stelle das Radio an.

radio
das Radio

## CULTURE

**I. Which word belongs to which drawing?**

* die Ausbildung
* die Ausstellung
* das Auto
* der Apotheker

* das Theater
* die Treppe
* die Tante
* der Teller

* der Zucker
* die Zitrone
* das Salz
* der Zirkus

* das Kino
* das Kleid
* der Kreis
* die Kirche

* der Fußball
* das Fernsehen
* die Frucht
* die Flasche

## II. Translate these words into German.

* painting        : die Malerei
* dance           : der Tanz
* music           : die Musik
* education       : die Ausbildung
* architecture    : die Architektur

## III. Translate the words underlined.

* <u>Art</u> is my favourite subject.
  Kunst ist mein Lieblingsfach.

* Shakespeare's plays are performed in the <u>theatre</u>.
  Shakespeares dramatische Werke werden im Theater aufgeführt.

* She had a good <u>education</u> at the university.
  Sie hat an der Universität eine gute Ausbildung gehabt.

* I want to study German <u>literature</u> at university.
  Ich will an der Universität deutsche Literatur studieren.

* She is interested in Italian <u>culture</u>.
  Sie interessiert sich für italienische Kultur.

## IV. Find the odd one out.

* das Buch, das Museum, die Literatur, die Bücherei
  → das Museum – the others are to do with books only

* das Radio, das Fernsehen, die Fotographie, das Kino
  → das Radio – the others are visual

* das Theater, der Zirkus, die Bücherei, der Tanz, das Museum
  → der Tanz – you can visit the others

## ANIMALS

animal
das Tier

The child is drawing an animal.
Das Kind malt ein Tier.

horse
das Pferd

The jockey looks after his horse.
Der Jockey pflegt sein Pferd.

cow
die Kuh

The farmer milks the cow.
Der Bauer melkt die Kuh.

bull
der Bulle

The bull is a powerful animal.
Der Bulle ist ein kraftvolles Tier.

fly
die Fliege

He caught a fly.
Er hat eine Fliege gefangen.

mosquito
die Stechmücke

He was stung by a mosquito.
Er wurde von einer Stechmücke gestochen.

goat
die Ziege

The goat eats grass all day.
Die Ziege frißt den ganzen Tag Gras.

sheep
das Schaf

The black sheep was shorn first.
Das schwarze Schaf wurde zuerst geschoren.

hen
die Henne

The hen has laid an egg.
Die Henne hat ein Ei gelegt.

cock
der Hahn

Did you hear the cock crow?
Hast du den Hahn krähen gehört?

dog
der Hund

The dog bit the burglar.
Der Hund hat den Einbrecher gebissen.

cat
die Katze

The cat is showing its claws.
Die Katze zeigt ihre Krallen.

mouse
die Maus

Who is afraid of a mouse?
Wer hat Angst vor einer Maus?

pig
das Schwein

The pig is rolling in the mud.
Das Schwein wälzt sich im Schlamm.

duck
die Ente

The children are feeding the ducks.
Die Kinder füttern die Enten.

A frog can jump a long way.
Ein Frosch kann weit hüpfen.

frog
der Frosch

The rabbit has very long ears.
Das Kaninchen hat sehr lange Ohren.

rabbit
das Kaninchen

*das Pferd

*die Henne

*die Kuh

*die Katze

*der Hund

*die Maus

The bird is flying in the air.
Der Vogel fliegt in der Luft.

bird
der Vogel

A cod is a fish.
Ein Dorsch ist ein Fisch.

fish
der Fisch

## ANIMALS

**I. Fill in the grid horizontally with the names of animals. The name of a new animal will appear vertically.**

## II. Connect up the following:

a. das Ei
b. die Milch
c. die Wolle (wool)
d. der Schinken
e. das Wasser

1. das Schaf
2. das Schwein
3. der Fisch
4. die Henne
5. die Kuh

**Answers:** a4, b5, c1, d2, e3

## III. Translate the words underlined.

* My niece's <u>dog</u> is well trained – he always obeys.
  Der Hund meiner Nichte ist gut trainiert – er gehorcht immer.

* <u>Cats</u> hunt rats and <u>mice</u>.
  Katzen jagen Ratten und Mäuse.

* One of the <u>sheep</u> has gone missing in the mountains.
  Eines der Schafe hat sich in den Bergen verlaufen.

* This farmer has <u>cows</u>, <u>bulls</u> and <u>goats</u>.
  Dieser Bauer hat Kühe, Bullen und Ziegen.

* He couldn't sleep because of the <u>frog's</u> croaking.
  Er konnte nicht schlafen, weil der Frosch quakte.

* In the farmyard there are <u>hens</u>, geese and <u>ducks</u>.
  Auf dem Bauernhof gibt es Hennen, Gänse und Enten.

* This spray kills <u>flies</u> and <u>mosquitoes</u>.
  Dieses Spray tötet Fliegen und Stechmücken.

* Which <u>animal</u> do you like best?
  Welches Tier magst du am liebsten?

* The <u>cock</u> has not crowed today.
  Der Hahn hat heute nicht gekräht.

## HOLIDAYS AND LEISURE

holiday
der Urlaub

Are you going on holiday?
Fährst du in Urlaub?

spare time
die Freizeit

What do you do in your spare time?
Was machst du in deiner Freizeit?

to enjoy oneself
sich amüsieren

We enjoy ourselves a lot in London.
Wir amüsieren uns gut in London.

to go for a walk
spazierengehen

They are going for a walk in the woods.
Sie gehen im Wald spazieren.

trip, journey
die Reise

I am getting ready for the trip.
Ich mache mich für die Reise fertig.

hotel
das Hotel

They are spending the night in a hotel.
Sie übernachten in einem Hotel.

beach
der Strand

The beach was full of holidaymakers.
Der Strand war voller Urlauber.

luggage
das Gepäck

He is bringing the luggage up.
Er bringt das Gepäck nach oben.

suitcase
der Koffer

The suitcase weighs more than twenty kilos.
Der Koffer wiegt über zwanzig Kilo.

tourist
der Tourist

The tourists were welcome.
Die Touristen waren willkommen.

tent
das Zelt

They are sleeping in a tent in a field.
Sie schlafen im Zelt auf einer Wiese.

to potter about
herumtrödeln

My sister is pottering about in the garden.
Meine Schwester trödelt im Garten herum.

to rest, relax
ausruhen

People come here to relax.
Die Leute kommen hierher, um sich auszuruhen.

to bathe
baden

We are not allowed to bathe on this beach.
Wir dürfen nicht an diesem Strand baden.

aeroplane
das Flugzeug

They prefer the aeroplane to the boat.
Sie nehmen lieber das Flugzeug als das Schiff.

* das Flugzeug

* das Hotel

* der Koffer

* der Strand

* der Tourist

* das Zelt

| | |
|---|---|
| I am taking the train that comes from Glasgow.<br>Ich nehme den Zug, der von Glasgow kommt. | train<br>der Zug |
| The campsite is full of foreigners.<br>Der Campingplatz ist voller Ausländer. | campsite<br>der Campingplatz |
| The swimming pool is an indoor one.<br>Das Schwimmbad ist ein Hallenbad. | swimming pool<br>das Schwimmbad |
| I like looking around old castles best.<br>Am liebsten mag ich alte Schlösser besichtigen. | to look around, visit<br>besichtigen |

## HOLIDAYS AND LEISURE

**I. To help you complete the translations, some letters are already in place.**

* to potter about = 

| H | E | R | U | M | T | R | Ö | D | E | L | N |

* trip = 

| R | E | I | S | E |

* to bathe = 

| B | A | D | E | N |

* suitcase = 

| K | O | F | F | E | R |

* aeroplane = 

| F | L | U | G | Z | E | U | G |

**II. Translate the words underlined.**

* Only tents are allowed in this part of the <u>campsite</u>.
  In diesem Teil des Campingplatzes sind nur Zelte erlaubt.

* There was no one to carry her <u>suitcases</u> up when she arrived at the <u>hotel</u>.
  Niemand war da, um ihre Koffer nach oben zu tragen als sie im Hotel ankam.

* We go to the <u>swimming pool</u> every day during our <u>holidays</u>.
  Im Urlaub gehen wir jeden Tag ins Schwimmbad.

* I made two <u>trips</u> last year: the first was by <u>aeroplane</u>, the second by <u>train</u>.
  Ich habe im letzten Jahr zwei Reisen gemacht: die erste mit dem Flugzeug, die zweite mit dem Zug.

* You will have a chance to relax during your <u>spare time</u>.
  Du hast Gelegenheit, dich während der Freizeit zu ausruhen.

* Children like <u>to enjoy themselves</u> on the beach or <u>bathing</u> in the sea.
  Kinder wollen sich am Strand amüsieren oder im Meer baden.

* An American <u>tourist</u> is visiting the church.
  Ein amerikanischer Tourist besichtigt die Kirche.

\* They like <u>going for a walk</u> in the summer.
Im Sommer gehen sie gerne spazieren.

### III. Humour

## OCCUPATIONS

trade, occupation
der Beruf

What is your occupation?
Was ist dein Beruf?

to work
arbeiten

She has to work from 8 am until 4 pm.
Sie muß von 8 bis 16 Uhr arbeiten.

employee
der Angestellte

He is an employee.
Er ist Angestellte.

worker
der Arbeiter

The workers are on strike.
Die Arbeiter streiken.

boss, employer
der Chef

The boss is always right.
Der Chef hat immer recht.

office
das Büro

The office is near the station.
Das Büro ist in der Nähe vom Bahnhof.

factory
die Fabrik

This factory is polluting the environment.
Diese Fabrik verschmutzt die Umwelt.

butcher
der Schlachter

The butcher sells meat.
Der Schlachter verkauft Fleisch.

baker
der Bäcker

He buys bread from the baker.
Er kauft das Brot beim Bäcker.

fireman
der Feuerwehrmann

The fireman puts his life at risk.
Der Feuerwehrmann setzt sein Leben aufs Spiel.

doctor
der Arzt

Go to the doctor if you are ill!
Geh zum Arzt, wenn du krank bist!

secretary
die Sekretärin

They are looking for a new secretary.
Sie suchen eine neue Sekretärin.

bricklayer
der Maurer

The bricklayer works outside.
Der Maurer arbeitet im Freien.

farmer
der Bauer

This farmer has no animals.
Dieser Bauer hat keine Tiere.

plumber
der Klempner

The plumber has just repaired the tap.
Der Klempner hat gerade den Wasserhahn repariert.

BERUF

*der Feuerwehrmann

*der Anwalt

*der Maurer

*der Bäcker

*der Bauer

*der Schlachter

| | |
|---|---|
| The electrician is laying the cable. | electrician |
| Der Elektriker legt das Kabel. | der Elektriker |
| | |
| We need a lawyer to deal with the dispute. | lawyer |
| Wegen des Streits benötigen wir einen | der Anwalt |
| Anwalt. | |
| | |
| He is a French teacher. | teacher |
| Er ist ein französischer Lehrer. | der Lehrer |
| | |
| She is a good hairdresser. | hairdresser (m/f) |
| Sie ist eine gute Friseurin. | der Friseur/die Friseurin |

**OCCUPATIONS**

I. Each drawing corresponds to a job. Which is which?

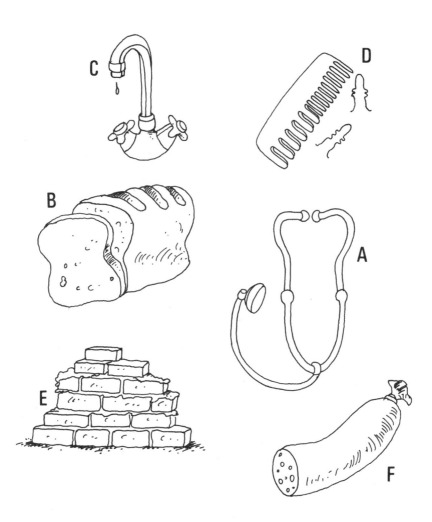

**Answers:**

| | |
|---|---|
| 1. der Bäcker | A- 2 |
| 2. der Arzt | B- 1 |
| 3. der Maurer | C- 6 |
| 4. der Schlachter | D- 5 |
| 5. der Friseur | E- 3 |
| 6. der Klempner | F- 4 |

## II. Translate the words underlined.

* She is a qualified engineer but she has never practised her <u>trade</u>.
  Sie ist Diplomingenieurin, aber sie hat nie in ihrem Beruf gearbeitet.

* <u>Firemen</u> are very brave.
  Feuerwehrmänner sind sehr mutig.

* He is a <u>worker</u> in a <u>factory</u>.
  Er ist Arbeiter in einer Fabrik.

* The <u>boss</u> came to an agreement with the <u>employees</u> over a pay rise.
  Der Chef hat sich mit den Angestellten über die Gehaltserhöhung
  geeinigt.

* The <u>teachers</u> are not happy with the way the Government has treated
  them.
  Die Lehrer sind nicht zufrieden mit ihrer Behandlung durch die
  Regierung.

* The <u>farmers</u> are forced to let their land lie fallow.
  Die Bauern sind gezwungen, ihr Land brachliegen zu lassen.

* The <u>hairdresser</u> has to close her salon due to illness.
  Die Friseurin muß ihr Geschäft wegen Krankheit schließen.

* The <u>plumber</u> has to change the old pipes.
  Der Klempner muß die alten Rohre auswechseln.

* The <u>lawyer</u> defended his client.
  Der Anwalt hat seine Klientin verteidigt.

* The <u>secretary</u> types letters quickly.
  Die Sekretärin schreibt Briefe schnell mit der Maschine.

* The <u>bricklayer</u> does not work when it rains.
  Der Maurer arbeitet nicht, wenn es regnet.

## TIME

| | |
|---|---|
| time<br>die Zeit | I haven't any time.<br>Ich habe keine Zeit. |
| minute<br>die Minute | Leave it to cook for one minute.<br>Laß es eine Minute kochen. |
| hour<br>die Stunde | We still have one hour left.<br>Wir haben noch eine Stunde. |
| day<br>der Tag | What day is it?<br>Welcher Tag ist es? |
| week<br>die Woche | I've got one week's holiday.<br>Ich habe eine Woche Urlaub. |
| year<br>das Jahr | She is forty years old.<br>Sie ist vierzig Jahre alt. |
| morning<br>der Morgen | What do you do in the morning?<br>Was machst du am Morgen? |
| evening<br>der Abend | She teaches at school in the evening.<br>Am Abend gibt sie in der Schule Unterricht. |
| afternoon<br>der Nachmittag | They have a nap in the afternoon.<br>Am Nachmittag machen sie ein Schläfchen. |
| midday; noon<br>der Mittag | She came home at midday.<br>Mittags ist sie nach Hause gekommen. |
| midnight<br>die Mitternacht | The day ends at midnight.<br>Um Mitternacht ist der Tag zu Ende. |
| today<br>heute | It is Wednesday today.<br>Heute ist Mittwoch. |
| yesterday<br>gestern | It was Thursday yesterday.<br>Gestern war Dienstag. |
| tomorrow<br>morgen | It will be Thursday tomorrow.<br>Morgen ist Donnerstag. |
| night<br>die Nacht | It is dark at night.<br>In der Nacht ist es dunkel. |

We will wait another half an hour.
Wir warten noch eine halbe Stunde.

half an hour
die halbe Stunde

There is a bus every quarter of an hour.
Ein Bus fährt jede Viertelstunde.

quarter of an hour
die Viertelstunde

May is the fifth month of the year.
Mai ist der fünfte Monat im Jahr.

month
der Monat

We are almost at the end of the century.
Wir sind fast am Ende des Jahrhunderts.

century
das Jahrhundert

*der Morgen     *der Mittag     *der Nachmittag

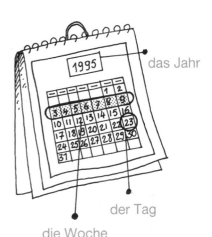

das Jahr

der Tag

*der Abend     *die Mitternacht     die Woche

## TIME

**I. The sentences below make up a story. Put them in order under the pictures.**

Gestern morgen fand mein Bruder eine Katze auf der Straße.

Er nahm die Katze mit. Nach einer Stunde trank die Katze etwas Milch.

Die Katze hat am Nachmittag unter einem Stuhl geschlafen.

In der Nacht blieb die Katze im Garten.

Heute kommen zwei Männer, um die Katze abzuholen.

* In der Nacht blieb die Katze im Garten.
* Er nahm die Katze mit. Nach einer Stunde trank die Katze etwas Milch.
* Heute kommen zwei Männer, um die Katze abzuholen.
* Gestern morgen fand mein Bruder eine Katze auf der Straße.
* Die Katze hat am Nachmittag unter einem Stuhl geschlafen.

## II. Give the opposite of the following words:

* der Tag ↔    * die Nacht
* der Abend ↔    * der Morgen
* morgen ↔    * gestern
* der Mittag ↔    * die Mitternacht

## III. Give the correct word for...

... 30 or 31 days        = ein Monat
... 12 months        = ein Jahr
... one sixtieth of an hour        = eine Minute
... one hundred years        = ein Jahrhundert
... one twenty-fourth of a day        = eine Stunde
... a quarter of an hour        = eine Viertelstunde

## IV. Translate the words underlined.

* We are usually tired in the <u>evening</u>.
  Am Abend sind wir gewöhnlich müde.

* Leave it to cook for <u>half an hour</u> and serve hot.
  Laß es eine halbe Stunde kochen und serviere es heiß.

* During the <u>week</u> a train goes every <u>quarter of an hour</u>.
  Während der Woche fährt jede Viertelstunde ein Zug.

* In two <u>hours</u>, this <u>year</u> will end.
  In zwei Stunden ist dieses Jahr schon vorbei.

* Where were you <u>yesterday</u>?
  Wo waren Sie gestern?

* I go home for lunch at <u>noon</u>.
  Mittags gehe ich nach Hause zum Essen.

* We are going on holiday <u>tomorrow</u>.
  Morgen fahren wir in Urlaub.

## THE EARTH AND NATURE

Earth, soil
die Erde

The Earth is a planet.
Die Erde ist ein Planet.

nature
die Natur

We must protect nature.
Wir müssen die Natur schützen.

country
das Land

We live in the country.
Wir leben auf dem Lande.

mountain
der Berg

He likes walking in the mountains.
Er wandert gerne in den Bergen.

wood, forest
der Wald

The wood was destroyed by fire.
Der Wald wurde durch Feuer zerstört.

tree
der Baum

There are many trees in a wood.
In einem Wald sind viele Bäume.

river
der Fluß

They cross over the river in a boat.
Sie überqueren den Fluß mit einem Boot.

sea
das Meer

He is spending his holiday by the sea.
Er verbringt seinen Urlaub am Meer.

sky
der Himmel

The sky is clouded over.
Der Himmel ist bewölkt.

island
die Insel

The island is uninhabited.
Die Insel ist unbewohnt.

coast
die Küste

They have a house on the coast.
Sie haben ein Haus an der Küste.

leaf
das Blatt

This leaf is green and shiny.
Dieses Blatt ist grün und glänzend.

sun
die Sonne

The sun always shines here.
Hier scheint immer die Sonne.

wind
der Wind

A strong wind is blowing.
Es bläst ein starker Wind.

flower
die Blume

The rose is a lovely flower.
Die Rose ist eine schöne Blume.

## DIE ERDE UND DIE NATUR

Don't forget to water the plants.
Vergiß nicht, die Pflanzen zu gießen.

plant
die Pflanze

The grass grows quickly.
Das Gras wächst schnell.

grass
das Gras

The snow is starting to melt.
Der Schnee beginnt zu schmelzen.

snow
der Schnee

Rain causes damage.
Der Regen verursacht Schaden.

rain
der Regen

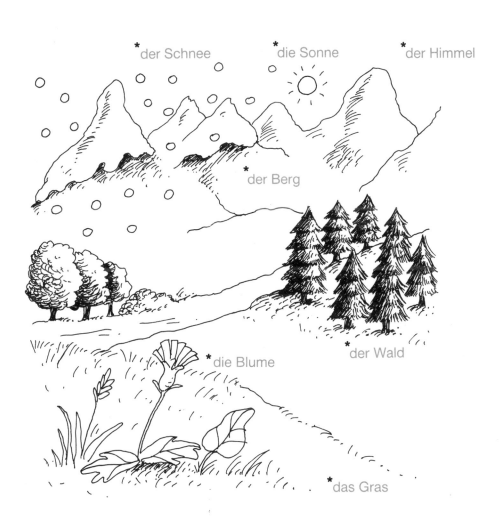

*der Schnee    *die Sonne    *der Himmel

*der Berg

*der Wald

*die Blume

*das Gras

## THE EARTH AND NATURE

**I. Translate the words underlined.**

* The weather forecast for today: sunshine und occasional <u>rain</u>.
  Die Wettervorhersage für heute: sonnig und zeitweise Regen.

* The skiers have to climb to above 2000 metres to find the <u>snow</u>.
  Die Skiläufer müssen über 2000 Meter hoch klettern, um Schnee zu finden.

* When the <u>sun</u> shines, the temperature may rise to 30°C.
  Wenn die Sonne scheint, kann die Temperatur bis zu 30 Grad steigen.

* The <u>wind</u> will blow from the southwest tomorrow.
  Morgen wird der Wind aus Südwesten wehen.

* Great Britain is an <u>island</u>.
  Grossbritannien ist eine Insel.

* Every year thousands of holidaymakers go to the <u>coast</u>.
  Jedes Jahr fahren Tausende von Urlaubern an die Küste.

* We buy <u>flowers</u> and <u>plants</u> for Mother's Day.
  Zum Muttertag kaufen wir Blumen und Pflanzen.

* Do you know the name of the <u>river</u> which flows through London?
  Weißt du, wie der Fluß heißt, der durch London fließt?

* When the <u>sky</u> is clear, astronomers can see the stars.
  Wenn der Himmel klar ist, können die Astronomen die Sterne sehen.

* In the <u>country</u> the roads are often narrow.
  Auf dem Lande sind die Straßen oft eng.

**II. What do these illustrations show? You have a choice of three possibilities**

- ◼ der Bauer
- ◼ <u>der Berg</u>
- ◼ der Baum

- ◼ die Welt
- ◼ die Wolle
- ◼ <u>der Wald</u>

- ◼ der Boden
- ◼ <u>die Blume</u>
- ◼ der Beruf

- ◼ die Herde
- ◼ die Ente
- ◼ <u>die Erde</u>

- ◼ <u>der Baum</u>
- ◼ das Blatt
- ◼ die Sonne

- ◼ das Gras
- ◼ der Sohn
- ◼ <u>die Sonne</u>

- ◼ das Meer
- ◼ die Erde
- ◼ <u>der Regen</u>

- ◼ die Schwester
- ◼ <u>der Schnee</u>
- ◼ die See

## THE FAMILY

| | |
|---|---|
| wedding, marriage<br>die Hochzeit | Their wedding was unexpected.<br>Ihre Hochzeit kam unerwartet. |
| to get divorced<br>sich scheiden lassen | His parents are getting divorced.<br>Seine Eltern lassen sich scheiden. |
| adult<br>der Erwachsene | The adults are looking after the children.<br>Die Erwachsenen passen auf die Kinder auf. |
| to get engaged<br>sich verloben | They are going to get engaged.<br>Sie werden sich verloben. |
| engagement<br>die Verlobung | They have announced their engagement.<br>Sie haben ihre Verlobung bekanntgegeben. |
| niece<br>die Nichte | My sister's daughter is my niece.<br>Die Tochter meiner Schwester ist meine Nichte. |
| nephew<br>der Neffe | My brother's son is my nephew.<br>Der Sohn meines Bruders ist mein Neffe. |
| married couple<br>das Ehepaar | They make a lovely married couple.<br>Sie sind ein nettes Ehepaar. |
| husband<br>der Ehemann | Steven is Teresa's husband.<br>Stefan ist Teresas Ehemann. |
| wife<br>die Ehefrau | Teresa is Steven's wife.<br>Teresa ist Stefans Ehefrau. |
| housework<br>die Hausarbeit | Who does the housework here?<br>Wer macht hier die Hausarbeit? |

## I. Translate.

* adults            : die Erwachsenen
* to get divorced   : sich scheiden lassen
* housework         : die Hausarbeit
* nephew            : der Neffe
* wife              : die Ehefrau
* niece             : die Nichte
* to get engaged    : sich verloben

*das Ehepaar

*die Verlobung

*die Hochzeit

*der Ehemann

*die Ehefrau

## II. Complete using the words given below.

* Edward ist mit Alice verheiratet.
  Alice ist seine Ehefrau.                    wife

* Da meine Eltern sich scheiden lassen,       to get divorced
  wohne ich bei meinen Großeltern.

* Jack ist der Sohn meines Bruders,
  darum ist er mein Neffe.                     nephew

* Heute ist die Hochzeit von Oliver und Anne. wedding

## THE HUMAN BODY

| | |
|---|---|
| to tire oneself<br>sich überanstrengen | You shouldn't tire yourself too much.<br>Überanstrenge dich nicht! |
| blind<br>blind. | The old man is almost blind.<br>Der alte Mann ist beinahe blind. |
| deaf<br>taub | She is deaf in her left ear.<br>Sie ist auf dem linken Ohr taub. |
| throat<br>der Hals | I have got a sore throat.<br>Mir tut der Hals weh. |
| lung<br>die Lunge | Smoking is bad for the lungs.<br>Rauchen ist schlecht für die Lunge. |
| elbow<br>der Ellbogen | She nudges him with her elbow.<br>Sie stößt ihn mit ihrem Ellbogen. |
| eyebrow<br>die Augenbraue | She raises her eyebrows.<br>Sie zieht ihre Augenbrauen hoch. |
| eyelash<br>die Wimper | She has long eyelashes.<br>Sie hat lange Wimpern. |
| tooth<br>der Zahn | You must brush your teeth.<br>Du mußt deine Zähne putzen. |
| lip<br>die Lippe | My lips are dry.<br>Meine Lippen sind trocken. |

## I. Translate.

* eyelash : die Wimper
* lung : die Lunge
* to tire oneself : sich überanstrengen
* deaf : taub
* tooth : der Zahn
* lip : die Lippe
* blind : blind
* neck : der Hals

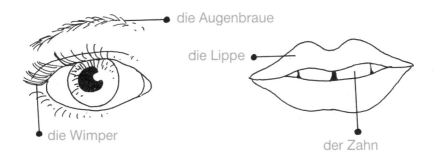

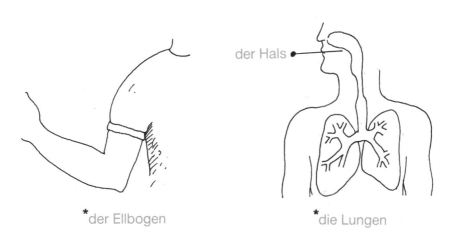

## II. Fill in the missing words.

* Sie zieht ihre Augenbrauen nach, um schöner zu sein.            eyebrows

* Wenn wir atmen, füllen wir unsere Lungen mit Luft.            lungs

* Er kann nicht sehen, weil er blind ist.            blind

* Der Zahnarzt behandelt meine Zähne.            teeth

* Ich habe zuviel gearbeitet; ich habe mich überanstrengt.            tired myself

## CLOTHING

glove
der Handschuh

Do you wear gloves in winter?
Trägst du im Winter Handschuhe?

scarf
der Schal

This scarf protects me against the cold.
Dieser Schal schützt mich gegen die Kälte.

belt
der Gürtel

The belt is too small.
Der Gürtel ist zu kurz.

wardrobe
der Kleiderschrank

The shirt is hanging up in the wardrobe.
Das Hemd hängt im Kleiderschrank.

suit
der Anzug

He always wears a suit.
Er trägt immer einen Anzug.

jewel
das Juwel

Who has stolen the jewels?
Wer hat die Juwelen gestohlen?

necklace
die Halskette

I found a necklace in the cinema.
Ich habe im Kino eine Halskette gefunden.

jacket
die Jacke

I turn up the collar of my jacket.
Ich stelle den Kragen meiner Jacke hoch.

cap
die Kappe

The jockey has lost his cap.
Der Jockey hat seine Kappe verloren.

raincoat
der Regenmantel

I put my raincoat on.
Ich ziehe meinen Regenmantel an.

**I. Translate.**

* scarf : der Schal
* jacket : die Jacke
* suit : der Anzug
* jewel : das Juwel
* necklace : die Halskette
* cap : die Kappe
* raincoat : der Regenmantel
* glove : der Handschuh

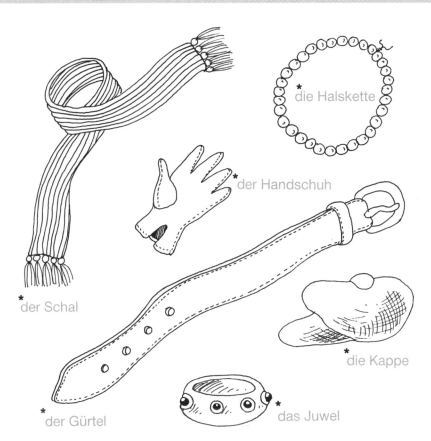

die Halskette

der Handschuh

der Schal

die Kappe

der Gürtel

das Juwel

## II. Complete using the words given below.

* Wenn es regnet, ziehe ich meinen
  Regenmantel an.                          raincoat

* Die Jacke und die Hose seines Anzuges    suit
  sind grau.

* Sie trägt eine schöne Halskette.         necklace

* Zu der Hose gehört ein Gürtel.           belt

* Diese kleinen Steine sind Juwelen.       jewels

## AT MEALTIMES

crockery, dishes
das Geschirr

She puts the crockery in the cupboard.
Sie stellt das Geschirr in den Schrank.

cutlery
das Besteck

I am cleaning the cutlery.
Ich putze das Besteck.

tray
das Tablett

The waiter drops the tray.
Der Ober läßt das Tablett fallen.

refrigerator
der Kühlschrank

The butter is in the refrigerator.
Die Butter ist im Kühlschrank.

freezer
die Tiefkühltruhe

The freezer is not working.
Die Tiefkühltruhe funktioniert nicht.

sour
sauer

A lemon ist sour.
Eine Zitrone ist sauer.

sweet
süß

Do you like sweet wine?
Magst du süßen Wein?

salty
salzig

Seawater is salty.
Seewasser ist salzig.

raw
roh

The vegetables are still raw.
Das Gemüse ist noch roh.

cooked, done
gekocht

I have cooked our dinner this morning.
Ich habe unser Abendessen schon heute morgen gekoch

### I. Translate.

* freezer  : die Tiefkühltruhe
* raw  : roh
* salty  : salzig
* dishes  : das Geschirr
* cutlery  : das Besteck
* cooked  : gekocht
* sour  : sauer
* refrigerator  : der Kühlschrank

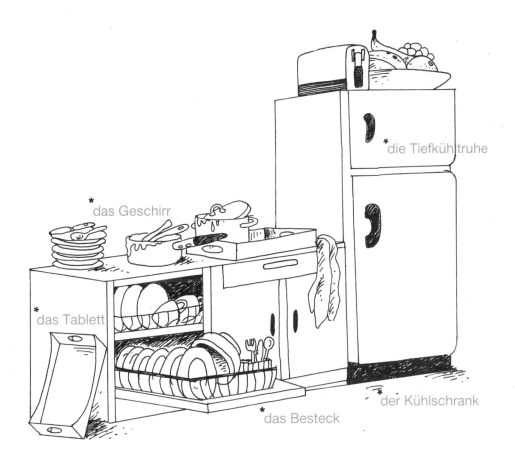

* die Tiefkühltruhe
* das Geschirr
* das Tablett
* der Kühlschrank
* das Besteck

## II. Complete using the words given below.

* Zitronen schmecken sauer.            sour

* Das Speiseeis ist in der Tiefkühltruhe.    freezer

* Sie trägt den Kaffee auf einem Tablett.    tray

* Nach dem Abendessen werden wir das
  Geschirr zusammen abwaschen.        dishes

* Gemüse wird roh oder gekocht gegessen.   cooked

## FOOD AND DRINK

| | |
|---|---|
| tomato<br>die Tomate | Tomatoes are red.<br>Tomaten sind rot. |
| potato<br>die Kartoffel | We are peeling some potatoes.<br>Wir schälen ein paar Kartoffeln. |
| carrot<br>die Karotte | Would you like the carrots raw or cooked?<br>Möchtest du die Karotten roh oder gekocht? |
| pea<br>die Erbse | The peas are not quite ready to eat yet.<br>Die Erbsen sind noch nicht ganz reif. |
| lemon<br>die Zitrone | I like my tea with lemon.<br>Ich mag meinen Tee mit Zitrone. |
| wine<br>der Wein | People in France drink a lot of wine.<br>Die Leute in Frankreich trinken viel Wein. |
| chicken<br>das Hähnchen | He ordered chicken.<br>Er hat Hähnchen bestellt. |
| steak<br>das Beefsteak | My steak has to be well done.<br>Mein Beefsteak muß durchgebraten sein. |
| omelette<br>das Omelett | She is cooking an omelette with six eggs.<br>Sie macht ein Omelett mit sechs Eiern. |
| beer<br>das Bier | Belgians are very fond of beer.<br>Die Belgier mögen sehr gerne Bier. |

## I. Translate.

* pea        : die Erbse
* chicken    : das Hühnchen
* carrot     : die Karotte
* potato     : die Kartoffel
* wine       : der Wein

* der Wein
* die Erbsen
* das Bier
* die Zitrone
* die Karotten
* die Tomate
* die Kartoffel
* die Henne
* das Hähnchen

## II. Fill in the missing words.

* Man braucht Eier, um ein Omelett zu machen.  omelette

* Dieser Wein ist von guter Qualität.  wine

* Möchtest du deinen Tee mit Milch oder Zitrone?  lemon

* Er ißt Karotten und Erbsen.  carrots   peas

* Hilf mir beim Kartoffeln schälen.  potatoes

## THE HOME

| | |
|---|---|
| toilet, lavatory<br>die Toilette | The toilet is occupied.<br>Die Toilette ist besetzt. |
| bedroom<br>das Schlafzimmer | The bedroom is being aired.<br>Das Schlafzimmer wird gelüftet. |
| cellar<br>der Keller | He keeps wine in the cellar.<br>Er hat Wein im Keller. |
| attic<br>das Dachgeschoß | This house has not got an attic.<br>Dieses Haus hat kein Dachgeschoß. |
| bath<br>das Bad | Would you rather have a bath or a shower?<br>Möchtest du lieber ein Bad oder eine Dusche? |
| armchair<br>der Lehnstuhl | The armchair is black.<br>Der Lehnstuhl ist schwarz. |
| mattress<br>die Matratze | The mattress is too hard.<br>Die Matratze ist zu hart. |
| cushion<br>das Kissen | The cushion has a velvet cover.<br>Das Kissen hat einen Bezug aus Samt. |
| curtains<br>die Gardinen | The curtains are being cleaned.<br>Die Gardinen sind in der Reinigung. |
| doorbell<br>die Türklingel | Did you hear the doorbell?<br>Hast du die Türklingel gehört? |

## I. Translate.

* attic        : das Dachgeschoß
* mattress    : die Matratze
* bath        : das Bad
* bedroom     : das Schlafzimmer
* curtains    : die Gardinen
* toilet      : die Toilette
* cellar      : der Keller

*die Gardinen

*der Lehnstuhl

*das Kissen

## II. Fill in the missing words.

\* Ich schlafe nicht gut. Ich glaube,
  daß ich eine zu harte Matratze habe.  mattress

\* Er nimmt ein Bad bevor er zur Arbeit geht.  bath

\* Sie sitzt im Lehnstuhl vor dem Fenster.  armchair

\* Ziehe die Gardinen zu, wenn es zu hell ist.  curtains

\* Die Türklingel funktioniert nicht.  doorbell

## SPORT

footballer
der Fußballspieler

He wants to be a footballer.
Er möchte Fußballspieler werden.

cyclist
der Radfahrer

The cyclist fell off his bike.
Der Radfahrer ist von seinem Fahrrad gefallen.

athlete
der Athlet (m),
die Athletin (f)

The athlete is on the race track.
Der Athlet ist auf der Rennbahn.

champion
der Meister

He was the champion for three years.
Er war drei Jahre lang Meister.

team
die Mannschaft

She belongs to a team.
Sie gehört zu einer Mannschaft.

opponent
der Gegner

We don't underestimate our opponents.
Wir unterschätzen unsere Gegner nicht.

crowd
die Menge

The crowd is enthusiastic.
Die Menge ist begeistert.

attack
der Angriff

Those two are part of the attack.
Jene zwei spielen im Angriff.

defence
die Verteidigung

The defence is well organised.
Die Verteidigung ist gut organisiert.

sports paper
die Sportzeitung

The sports paper is published every Monday.
Die Sportzeitung erscheint jeden Montag.

## I. Translate.

* attack     : der Angriff
* athlete    : der Athlet
* opponent   : der Gegner
* team       : die Mannschaft
* champion   : der Meister
* defence    : die Verteidigung
* crowd      : die Menge

\* der Radfahrer

\* der Fußballspieler

\* der Athlet

\* die Sportzeitung

## II. Fill in the missing words.

| | |
|---|---|
| \* Wieviele Radfahrer nehmen an der Tour de France teil? | cyclists |
| \* Der Meister ist gut in Form. | champion |
| \* Die Menge mag dieses Spiel nicht. | crowd |
| \* Wir haben den Gegner 2:1 geschlagen. | opponent |
| \* Angriff ist die beste Verteidigung. | attack |

## CULTURE

| | |
|---|---|
| painter<br>der Maler | Turner is a famous painter.<br>Turner ist ein berühmter Maler. |
| writer<br>der Schriftsteller | The writer has written a new novel.<br>Der Schriftsteller hat eine neue Novelle geschrieben. |
| artist<br>der Künstler | The artist painted the countryside.<br>Der Künstler hat die Landschaft gemalt. |
| language<br>die Sprache | She is learning the French language.<br>Sie lernt die französische Sprache. |
| picture<br>das Bild | This picture is too abstract.<br>Dieses Bild ist zu abstrakt. |
| song<br>das Lied | The song contains a message.<br>Das Lied enthält eine Botschaft. |
| orchestra<br>das Orchester | This is a fantastic orchestra.<br>Dies ist ein phantastisches Orchester. |
| magnificent<br>großartig | I think the palace is magnificent.<br>Ich finde den Palast großartig. |
| awful<br>furchtbar | His exhibition was awful.<br>Seine Vorstellung war furchtbar. |
| newspaper<br>die Zeitung | Which newspaper do you read?<br>Welche Zeitung liest du? |

## I. Translate.

* song        : das Lied
* language     : die Sprache
* newspaper    : die Zeitung
* awful       : furchtbar
* writer      : der Schriftsteller
* artist      : der Künstler
* painter     : der Maler
* magnificent  : großartig
* picture     : das Bild

*das Bild

*der Schriftsteller

*der Maler

*die Zeitung

## II. Fill in the missing words.

* Das Orchester hat Werke von Bach
  gespielt.

  orchestra

* Monet und Manet sind berühmte Maler.

  painters

* Sie singt ein französisches Lied.

  song

* Er kauft jeden Morgen eine Zeitung,
  damit er weiß, was in der Welt vorgeht.

  newspaper

* Ich mag diesen Film nicht – ich finde
  ihn furchtbar.

  awful

## ANIMALS

| | |
|---|---|
| lion <br> der Löwe | The lion is the king of the animals. <br> Der Löwe ist der König der Tiere. |
| giraffe <br> die Giraffe | The giraffe has a long neck. <br> Die Giraffe hat einen langen Hals. |
| elephant <br> der Elefant | The elephant is a threatened species. <br> Der Elefant ist ein bedrohtes Tier. |
| monkey <br> der Affe | The monkey makes us laugh. <br> Der Affe bringt uns zum Lachen. |
| parrot <br> der Papagei | The parrot can imitate the human voice. <br> Der Papagei kann die menschliche Stimme imitieren. |
| camel <br> das Kamel | A camel has one or two humps. <br> Ein Kamel hat ein oder zwei Höcker. |
| tiger <br> der Tiger | The tiger hunts at night. <br> Der Tiger jagt in der Nacht. |
| butterfly <br> der Schmetterling | The butterfly flies from flower to flower. <br> Der Schmetterling fliegt von Blume zu Blume. |
| wasp <br> die Wespe | He was stung by a wasp. <br> Er wurde von einer Wespe gestochen. |
| snake <br> die Schlange | The snake bites to kill. <br> Die Schlange beißt um zu töten. |

## I. Translate.

* parrot        : der Papagei
* monkey        : der Affe
* lion          : der Löwe
* snake         : die Schlange
* elephant      : der Elefant
* wasp          : die Wespe
* camel         : das Kamel
* butterfly     : der Schmetterling

*die Schlange

*die Giraffe

*der Löwe

*das Kamel

*der Tiger

## II. Fill in the missing words.

* Der Elefant wird wegen des
  Elfenbeins gejagt.

  elephant

* Das Kamel lebt in der Wüste.

  camel

* Der Pagagei ist ein bunter Vogel.

  parrot

* Der Affe ißt gerne Bananen.

  monkey

* Die Wespe ist gelb und schwarz.

  wasp

## HOLIDAYS AND LEISURE

| | |
|---|---|
| to travel<br>reisen | He likes travelling in France.<br>Er reist gerne in Frankreich. |
| walk<br>der Spaziergang | A walk will do us good.<br>Ein Spaziergang wird uns gut tun. |
| passenger<br>der Passagier | Passengers are requested to come on board.<br>Die Passagiere werden gebeten, an Bord zu kommen. |
| outing<br>der Ausflug | The outing is planned for tomorrow.<br>Der Ausflug ist für morgen geplant. |
| parlour game<br>das Gesellschaftsspiel | Charades is a parlour game.<br>Scharade ist ein Gesellschaftsspiel. |
| entertaining<br>unterhaltend | The film is supposed to be entertaining.<br>Man sagt, der Film ist unterhaltend. |
| sleeping bag<br>der Schlafsack | My sleeping bag is waterproof.<br>Mein Schlafsack ist wasserdicht. |
| airbed, inflatable mattress<br>die Luftmatratze | There is a small hole in your airbed.<br>Da ist ein kleines Loch in deiner Luftmatratze. |
| camera<br>der Fotoapparat | This camera is easy to use.<br>Dieser Fotoapparat ist einfach zu handhaben. |
| (travel) guide<br>der Reiseleiter | The guide shows us the town sights.<br>Der Reiseleiter zeigt uns die Sehenswürdigkeiten der Sta |

## I. Translate.

* sleeping bag    : der Schlafsack
* outing          : der Ausflug
* passenger       : der Passagier
* entertaining    : unterhaltend

## II. Fill in the missing words.

\* Mit diesem Fotoapparat kann ich schöne
Bilder machen.                                              camera

\* Wenn ich zelten gehe, schlafe ich in
einem Schlafsack.                                          sleeping bag

\* Passagiere nach London, bitte sofort
einsteigen!                                                passengers

\* Ich möchte gerne diesen Film sehen,
wenn er so unterhaltend ist.                               entertaining

\* Reist du viel in England?                               travel

\*die Luftmatratze                          \*der Schlafsack

\*der Fotoapparat          \*das Gesellschaftsspiel

## OCCUPATIONS

nurse
die Krankenschwester

She is a nurse in a large hospital.
Sie ist Krankenschwester in einem großen Krankenhaus.

postman
der Postbote

The postman delivers the mail.
Der Postbote stellt die Post zu.

pastrycook
der Konditor

The pastrycook sells cakes and pastries.
Der Konditor verkauft Torten und Gebäck.

dentist
der Zahnarzt

The dentist looks after my teeth well.
Der Zahnarzt behandelt meine Zähne gut.

gardener
der Gärtner

The gardener mows the lawn.
Der Gärtner mäht den Rasen.

chemist, pharmacist
der Apotheker

The chemist can advise you.
Der Apotheker kann dich beraten.

clockmaker
der Uhrmacher

The clockmaker can repair your clock.
Der Uhrmacher kann deine Uhr reparieren.

engineer
der Ingenieur

She is studying to become an engineer.
Sie studiert, um Ingenieur zu werden.

carpenter
der Zimmermann

The carpenter can't find his hammer.
Der Zimmermann kann seinen Hammer nicht finden.

judge
der Richter

The judge gave his decision.
Der Richter hat sein Urteil gesprochen.

## I. Translate.

* dentist      : der Zahnarzt
* pastrycook   : der Konditor
* carpenter    : der Zimmermann
* chemist      : der Apotheker

*der Postbote

*der Gärtner

*der Zahnarzt

*die Krankenschwester

## II. Fill in the missing words.

* Der Apotheker gibt mir das Medikament.    chemist

* Der Richter befragt einen Kriminellen.    judge

* Der Postbote hat einen Brief für dich.    postman

* Der Gärtner pflegt deinen Garten.    gardener

* Die Krankenschwester pflegt kranke    nurse
  Menschen.

## TIME

| | |
|---|---|
| o'clock<br>Uhr | The bank closes at 3 o'clock.<br>Die Bank macht um 15 Uhr zu. |
| early<br>früh | You must get up early tomorrow.<br>Morgen mußt du früh aufstehen. |
| on time<br>pünktlich | The postman is always on time.<br>Der Postbote ist immer pünktlich. |
| late<br>spät | It is getting late.<br>Es wird spät. |
| season<br>die Jahreszeit | There are four seasons.<br>Es gibt vier Jahreszeiten. |
| spring<br>der Frühling | Flowers bloom in spring.<br>Blumen blühen im Frühling. |
| summer<br>der Sommer | We go on holiday in the summer.<br>Im Sommer fahren wir in Urlaub. |
| autumn<br>der Herbst | Trees lose their leaves in autumn.<br>Im Herbst verlieren die Bäume ihre Blätter. |
| winter<br>der Winter | It is cold in winter.<br>Im Winter ist es kalt. |
| fortnight<br>vierzehn Tage | We will see you in a fortnight.<br>Wir sehen dich in vierzehn Tagen. |

## I. Translate.

* late : spät
* on time : pünktlich
* fortnight : vierzehn Tage
* season : die Jahreszeit
* o'clock :Uhr
* autumn : der Herbst
* early : früh
* spring : der Frühling

* der Herbst

* der Winter

* der Frühling

* der Sommer

## II. Fill in the missing words.

* Der Sommer beginnt am 21. Juni.      summer

* Der Frühling beginnt am 21. März.      spring

* Der Winter beginnt am 21. Dezember.      winter

* Der Herbst beginnt am 21. September.      autumn

* Wir sind in vierzehn Tagen in Paris.      fortnight

## THE EARTH AND NATURE

lake
der See

This is a natural lake.
Dies ist ein natürlicher See.

pond
der Teich

He fishes in a pond.
Er angelt in einem Teich.

ocean
der Ozean

The boat is crossing the Atlantic Ocean.
Das Boot überquert den Atlantischen Ozean.

wave
die Welle

The waves were sometimes very large.
Die Wellen waren manchmal sehr hoch.

oak
die Eiche

The oak is a magnificent tree.
Die Eiche ist ein großartiger Baum.

pine
die Fichte

The pine is an evergreen.
Die Fichte ist immer grün.

hedge
die Hecke

The hedge needs cutting.
Die Hecke muß geschnitten werden.

hill
der Hügel

They are going down the hill.
Sie gehen den Hügel hinunter.

storm
das Unwetter

The storm lasted for two hours.
Das Unwetter hat zwei Stunden gedauert.

lightning
der Blitz

Lightning during a storm can be dangerous.
Der Blitz während eines Unwetters kann gefährlich sein.

### I. Translate.

* oak        : die Eiche
* pine       : die Fichte
* pond       : der Teich
* lightning  : der Blitz
* hill       : der Hügel
* ocean      : der Ozean
* wave       : die Welle

der Blitz

die Eiche

der Hügel

der Ozean

die Welle

## II. Fill in the missing words.

* Die Wellen sind so hoch,
  daß das Baden im Meer verboten ist.

  waves

* Es gibt viele Fische in diesem See.

  lake

* Während des Unwetters blitzte und
  donnerte es.

  storm

* Hügel sind kleiner als Berge.

  hills

* Unser Garten ist von einer Hecke
  umschlossen.

  hedge

## THE FAMILY

| | |
|---|---|
| single | He is still single. |
| ledig | Er ist immer noch ledig. |
| | |
| godfather | Who is your godfather? |
| der Patenonkel | Wer ist dein Patenonkel? |
| | |
| godmother | Who is your godmother? |
| die Patentante | Wer ist deine Patentante? |
| | |
| godson | She spoils her godson. |
| der Patensohn | Sie verwöhnt ihren Patensohn. |
| | |
| goddaughter | Her goddaughter is pretty. |
| die Patentochter | Ihre Patentochter ist hübsch. |
| | |
| divorce | We were shocked by their divorce. |
| die Scheidung | Wir waren erschüttert über ihre Scheidung. |
| | |
| widower | Mr Jones' wife has died; he is a widower now. |
| der Witwer | Die Frau von Herrn Jones ist gestorben; er ist jetzt Witwe |
| | |
| widow | Mrs Jones' husband has died; she is a widow now. |
| die Witwe | Der Mann von Frau Jones ist gestorben; sie ist jetzt Witw |
| | |
| orphan | The orphan lives with his uncle. |
| der Waise (m), | Der Waise lebt bei seinem Onkel. |
| die Waise (f) | |
| | |
| to adopt | They are adopting an orphan girl. |
| adoptieren | Sie adoptieren eine Waise. |

## I. Translate.

* goddaughter : die Patentochter
* godmother : die Patentante
* orphan : der Waise, die Waise
* godson : der Patensohn
* divorce : die Scheidung
* single : ledig
* widow : die Witwe

* die Patentante

* die Waise

* der Waise

## II. Fill in the missing words.

* Die Waise hat keine Mutter und
keinen Vater.

  orphan (girl)

* Ihr Ehemann ist tot, deshalb ist sie
jetzt Witwe.

  widow

* Ich bin der Patensohn meines Patenonkels.   godson

* Sie ist erschüttert über die Scheidung
ihrer Tochter.

  divorce

* Sie ist noch ledig, aber sie heiratet bald.   single

* Diese Patentante verwöhnt ihren
Patensohn.

  godmother

## THE HUMAN BODY

big
groß

He is too big for that garment.
Er ist zu groß für das Kleidungsstück.

thin
dünn

She can eat what she likes and stay thin.
Sie kann essen was sie will, sie bleibt dünn.

stomach
der Magen

Have you got a weak stomach?
Hast du einen schwachen Magen?

blood
das Blut

Blood flows through the veins.
Das Blut fließt durch die Venen.

heart
das Herz

Her heart beats very quickly.
Ihr Herz schlägt sehr schnell.

pain
der Schmerz

The pain is worse than yesterday.
Der Schmerz ist schlimmer als gestern.

knee
das Knie

He takes the child on to his knee.
Er nimmt das Kind auf sein Knie.

finger
der Finger

You have cut your finger.
Du hast dir in den Finger geschnitten.

fingernail
der Fingernagel

She paints her fingernails.
Sie lackiert ihre Fingernägel.

pregnant
schwanger

She is two months pregnant.
Sie ist im zweiten Monat schwanger.

## I. Translate.

* fingernail    : der Fingernagel
* pain    : der Schmerz
* blood    : das Blut
* knee    : das Knie
* finger    : der Finger
* stomach    : der Magen
* big    : groß
* heart    : das Herz

*dünn

*groß

*schwanger

*der Finger

*das Knie

*das Herz

## II. Fill in the missing words.

* Sie ist schwanger; sie erwartet ein Kind.       pregnant

* Das Herz pumpt Blut durch den Körper.       blood

* Ich fühle mein Herz, das schwer schlägt.       heart

* Seine Knie sind dreckig vom Fußballspiel.       knees

* Er zählt immer noch mit seinen Fingern.       fingers

## CLOTHING

| | |
|---|---|
| ring<br>der Ring | He gives you a ring.<br>Er schenkt dir einen Ring. |
| bracelet<br>das Armband | She is wearing a gold bracelet.<br>Sie trägt ein goldenes Armband. |
| to dress, to clothe<br>kleiden | She was dressed in white.<br>Sie war in Weiß gekleidet. |
| fur<br>der Pelz | Fur is no longer used to make coats.<br>Pelz wird nicht mehr für Mäntel benutzt. |
| to take off<br>ausziehen | Take your shoes off before you go inside.<br>Ziehe deine Schuhe aus, bevor du hineingehst. |
| apron<br>die Schürze | She wears an apron in the kitchen.<br>In der Küche trägt sie eine Schürze. |
| (under)pants<br>die Unterhose | My grandfather wears woollen underpants.<br>Mein Großvater trägt Unterhosen aus Wolle. |
| bra<br>der Büstenhalter | Women wear bras.<br>Frauen tragen Büstenhalter. |
| underwear<br>die Unterwäsche | This underwear is warm.<br>Diese Unterwäsche ist warm. |
| to iron<br>bügeln | She is ironing the washing.<br>Sie bügelt die Wäsche. |

## I. Translate.

* apron        : die Schürze
* to iron      : bügeln
* to take off  : ausziehen
* ring         : der Ring
* underpants   : die Unterhose
* bracelet     : das Armband

\* das Armband

\* der Ring

die Schürze

\* bügeln

\* der Kunstpelz

## II. Fill in the missing words.

\* Er ist ganz in Schwarz gekleidet.                    dressed

\* Du kannst deinen Mantel ausziehen, weil    take off
es hier warm ist.

\* Sie hat ihren Ring verloren.                              ring

\* Sie muß ihre Kleider waschen und bügeln.  iron

\* Sie trägt nie Mäntel aus Pelz.                          fur

## AT MEALTIMES

| | |
|---|---|
| dishwasher | This is a good quality dishwasher. |
| die Geschirrspülmaschine | Dies ist eine Geschirrspülmaschine von guter Qualität. |
| | |
| kettle | Water is boiled in a kettle. |
| der Kessel | Man kocht Wasser in einem Kessel. |
| | |
| mixer | You need a mixer to prepare cakes. |
| der Mixer | Zum Kuchen backen braucht man einen Mixer. |
| | |
| tablecloth | That is a paper tablecloth. |
| das Tischtuch | Das Tischtuch ist aus Papier. |
| | |
| salt cellar | Where is the salt cellar? |
| der Salzstreuer | Wo ist der Salzstreuer? |
| | |
| coffee pot | He has broken the coffee pot. |
| die Kaffeekanne | Er hat die Kaffeekanne zerbrochen. |
| | |
| lid | The lid is buckled. |
| der Deckel | Der Deckel ist verbeult. |
| | |
| oven | Heat the oven to 180°C. |
| der Ofen | Heize den Ofen auf 180°C. |
| | |
| tender | The meat is tender enough. |
| zart | Das Fleisch ist zart genug. |
| | |
| napkin | He is folding the napkins. |
| die Serviette | Er faltet die Servietten. |

### I. Translate

* tablecloth : das Tischtuch
* oven : der Ofen
* kettle : der Kessel
* tender : zart
* lid : der Deckel
* salt cellar : der Salzstreuer

*der Mixer

*die Serviette

*der Ofen

*der Salzstreuer

*die Kaffeekanne

*die Geschirrspülmaschine

## II. Fill in the missing words.

* Wo ist die Kaffeekanne? Ich möchte etwas Kaffee.      coffee pot

* Er wischt seinen Mund mit einer Serviette ab.      napkin

* Hebe den Deckel, um zu sehen ob das Wasser kocht.      lid

* Ich schiebe die Pastete zum Backen in den Ofen.      oven

* Das Tischtuch ist auf dem Tisch.      tablecloth

## FOOD AND DRINK

| | |
|---|---|
| plum | This plum is very juicy. |
| die Pflaume | Diese Pflaume ist sehr saftig. |
| | |
| grape | They are picking grapes. |
| die Weintraube | Sie pflücken Weintrauben. |
| | |
| peach | The peach has a velvety skin. |
| der Pfirsich | Der Pfirsich hat eine samtige Haut. |
| | |
| cauliflower | Cauliflower is sometimes eaten raw. |
| der Blumenkohl | Blumenkohl wird manchmal roh gegessen. |
| | |
| parsley | Parsley tastes nice. |
| die Petersilie | Petersilie schmeckt gut. |
| | |
| garlic | Garlic has a strong smell. |
| das Knoblauch | Knoblauch riecht stark. |
| | |
| French bean | Are you preparing French beans? |
| die Brechbohne | Bereitest du Brechbohnen vor? |
| | |
| mustard | This is Dijon mustard. |
| der Senf | Dieser Senf ist aus Dijon. |
| | |
| pepper | This sauce has too much pepper. |
| der Pfeffer | In dieser Soße ist zuviel Pfeffer. |
| | |
| oil | The salad is dressed with oil. |
| das Öl | Der Salat wird mit Öl angemacht. |

### I. Translate.

* mustard      : der Senf
* parsley      : die Petersilie
* peach      : der Pfirsich
* grape      : die Weintraube
* pepper      : der Pfeffer
* cauliflower      : der Blumenkohl
* French bean      : die Brechbohne

die Weintrauben

*der Blumenkohl    *die Brechbohnen    *die Pfirsiche

## II. Fill in the missing words.

* Es braucht nur ein bißchen Salz und Pfeffer.     pepper

* Wein wird aus Weintrauben gemacht.     grapes

* Das Fleisch soll mit Knoblauch gekocht werden.     garlic

* Ich benutze Öl anstatt Butter.     oil

* Der Senf aus Dijon ist sehr scharf.     mustard

### THE HOME

| | |
|---|---|
| tenant | When is the new tenant arriving? |
| der Mieter | Wann kommt der neue Mieter? |
| | |
| owner, landlord | The house owner collects the rent monthly. |
| der Hausbesitzer | Der Hausbesitzer bekommt die Miete monatlich. |
| | |
| to move out | We are moving out in two days. |
| ausziehen | Wir ziehen in zwei Tagen aus. |
| | |
| brick | The bricks are drying in the sun. |
| der Backstein | Die Backsteine trocknen in der Sonne. |
| | |
| ground floor | You are on the ground floor. |
| das Erdgeschoß | Du bist im Erdgeschoß. |
| | |
| passage, corridor | It is a maze of passages. |
| der Gang | Es ist ein Labyrinth von Gängen. |
| | |
| wallpaper | I don't like the wallpaper at all. |
| die Tapete | Ich mag die Tapete nicht leiden. |
| | |
| sink | Pour it down the sink. |
| der Ausguß | Gieße es in den Ausguß. |
| | |
| (floor) tile | The floor tiles are shiny. |
| die Fliese | Die Fliesen sind blank. |
| | |
| (roof) tile | A tile has come off the roof. |
| der Dachziegel | Ein Dachziegel ist vom Dach gefallen. |

### I. Translate.

* passage : der Gang
* owner, landlord : der Hausbesitzer
* (roof) tile : der Dachziegel
* brick : der Backstein
* (floor) tile : die Fliese
* wallpaper : die Tapete
* tenant : der Mieter

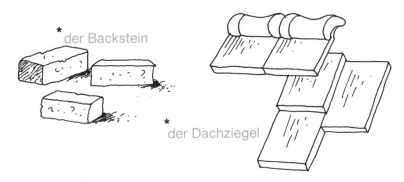

* der Backstein

* der Dachziegel

* die Tapete

* die Fliese

## II. Fill in the missing words.

* Sie haben ein neues Haus gekauft –
  sie ziehen in einer Woche aus.  to move out

* Du bist jetzt im ersten Stock –
  gehe runter ins Erdgeschoß.  ground floor

* Sein Büro liegt am Ende des Gangs.  passage

* Der Mieter der Wohnung muß viel Geld  tenant
  bezahlen.

* Die Fliesen sind so blank, daß du dein  (floor) tiles
  eigenes Spiegelbild darin sehen kannst.

* Wieviele Backsteine braucht man,  bricks
  um ein Haus zu bauen?

## SPORT

| | |
|---|---|
| defeat | They had to suffer defeat. |
| die Niederlage | Sie mußten eine Niederlage hinnehmen. |
| draw, tie | The game ended in a draw. |
| das Unentschieden | Das Spiel endete mit einem Unentschieden. |
| away match | The away match takes place on Saturday. |
| das Auswärtsspiel | Das Auswärtsspiel findet am Sonnabend statt. |
| return match | The return match is on Monday. |
| das Rückspiel | Das Rückspiel soll am Montag gespielt werden. |
| to whistle | The referee whistles a foul. |
| pfeifen | Der Schiedsrichter pfeift ein Faulspiel. |
| goal | There was nobody in goal. |
| das Tor | Es war niemand im Tor. |
| pitch | The pitch is uneven. |
| das Spielfeld | Das Spielfeld ist uneben. |
| performance | Her performance was not as good as usual. |
| die Leistung | Ihre Leistung war nicht so gut wie sonst. |
| high jump | He is practising the high jump. |
| der Hochsprung | Er übt Hochsprung. |
| long jump | The long jump comes next. |
| der Weitsprung | Als nächstes kommt Weitsprung. |

### I. Translate.

* away match    : das Auswärtsspiel
* performance   : die Leistung
* to whistle    : pfeifen
* defeat        : die Niederlage
* goal          : das Tor
* pitch         : das Spielfeld

*das Tor

*der Hochsprung

*der Weitsprung

## II. Fill in the missing words.

* Das Spiel zwischen Arsenal und Chelsea
  endete 1:1, Unentschieden.                    tie

* Der Weitsprungrekord ist über 8 Meter.       long jump

* Die Niederlage ihrer Mannschaft hat sie      defeat
  hart getroffen.

* Es ist viel Arbeit, das Spielfeld in gutem    pitch
  Zustand zu halten.

* Der Schiedsrichter pfeift das Spiel ab.       whistles

## CULTURE

| | |
|---|---|
| civilization | Many civilizations have died out. |
| die Zivilisation | Viele Zivilisationen sind ausgestorben. |
| | |
| composer | Mozart was a famous composer. |
| der Komponist | Mozart war ein berühmter Komponist. |
| | |
| weekly magazine | The weekly magazine appears on Mondays. |
| das Wochenmagazin | Das Wochenmagazin erscheint montags. |
| | |
| style | She has her own style. |
| der Stil | Sie hat ihren eigenen Stil. |
| | |
| type, sort | I don't like this type of music. |
| die Art | Ich mag diese Art von Musik nicht. |
| | |
| to imitate, mimic | They try to imitate him. |
| imitieren | Sie versuchen, ihn zu imitieren. |
| | |
| influence | This man has a lot of influence. |
| der Einfluß | Dieser Mann hat viel Einfluß. |
| | |
| reader | This newspaper has 100,000 readers. |
| der Leser | Diese Zeitung hat 100,000 Leser. |
| | |
| work of art | He collects works of art. |
| das Kunstwerk | Er sammelt Kunstwerke. |
| | |
| fame | Her fame is legendary. |
| der Ruhm | Ihr Ruhm ist legendär. |

## I. Translate.

* influence : der Einfluß
* fame : der Ruhm
* composer : der Komponist
* reader : der Leser
* work of art : das Kunstwerk
* to imitate : imitieren
* weekly magazine : das Wochenmagazin
* civilization : die Zivilisation

der Leser

das Wochenmagazin

## II. Fill in the missing words.

* Das Wochenmagazin erscheint einmal in der Woche.
  
  weekly magazine

* Er hat einen schlechten Einfluß auf die Kinder.
  
  influence

* Der Komiker imitiert nur andere Leute.
  
  imitates

* Diese Art von Kriminalfilm ist langweilig.
  
  type

* Die Zivilisation der Azteken ist sehr interessant.
  
  civilization

* Das Museum besitzt eine große Sammlung von Kunstwerken.
  
  works of art

## ANIMALS

| | |
|---|---|
| to moo | Cows moo. |
| muhen | Die Kühe muhen. |
| to neigh | Horses neigh. |
| wiehern | Die Pferde wiehern. |
| to bleat | Sheep bleat. |
| blöken | Die Schafe blöken. |
| to cluck | Hens cluck. |
| glucken | Die Hennen glucken. |
| to hum | Bees hum. |
| summen | Die Bienen summen. |
| to hiss | Snakes hiss. |
| zischen | Die Schlangen zischen. |
| to bark | Dogs bark. |
| bellen | Die Hunde bellen. |
| to miaow | Cats miaow. |
| miauen | Die Katzen miauen. |
| to grunt | Pigs grunt. |
| grunzen | Die Schweine grunzen. |
| to trumpet | Elephants trumpet. |
| trompeten | Die Elefanten trompeten. |

### I. Translate.

* to hum : summen
* to trumpet : trompeten
* to hiss : zischen
* to neigh : wiehern
* to grunt : grunzen
* to bleat : blöken
* to bark : bellen
* to moo : muhen

\* wiehern

\* blöken

\* trompeten

\* muhen

**II. Fill in the missing words.**

\* Diese Hunde bellen, aber sie               bark
beißen nicht.

\* Katzen miauen und jagen Mäuse.         miaow

\* Schafe blöken und müssen geschoren     bleat
werden.

\* Kühe muhen und grasen.                  moo

\* Hennen glucken und legen Eier.         cluck

## HOLIDAYS AND LEISURE

travel agency
das Reisebüro

The travel agency is offering an exceptional trip.
Das Reisebüro bietet eine außergewöhnliche Reise an.

airport
der Flugplatz

Sometimes I go to the airport and watch the aeroplanes
Ich gehe manchmal zum Flugplatz und beobachte
die Flugzeuge.

tourist office
die Touristeninformation

Make your way to the tourist office.
Wenden sie sich an die Touristeninformation.

station
der Bahnhof

The train arrives at the station at four o'clock.
Der Zug kommt um vier Uhr im Bahnhof an.

sunglasses
die Sonnenbrille

I wear sunglasses so that the sun doesn't dazzle me.
Ich trage eine Sonnenbrille, damit ich nicht geblendet w

holidaymaker
der Urlauber

The town was invaded by holidaymakers.
Die Stadt war von Urlaubern überlaufen.

postcard
die Postkarte

I send postcards to all my friends.
Ich schicke Postkarten an alle meine Freunde.

funfair
der Vergnügungspark

Children love the funfair.
Die Kinder lieben den Vergnügungspark.

peaceful
ruhig

It is nice and peaceful in the country.
Auf dem Lande ist es schön und ruhig.

to welcome
willkommen heißen

Paris welcomes visitors of all nationalities.
Paris heißt die Urlauber aller Nationalitäten willkommen

### I. Translate.

* postcard           : die Postkarte
* peaceful           : ruhig
* station            : der Bahnhof
* airport            : der Flugplatz
* sunglasses         : die Sonnenbrille
* tourist office     : die Touristeninformation
* to welcome         : willkommen heißen
* holidaymaker       : der Urlauber

*der Flugplatz

*der Bahnhof

## II. Fill in the missing words.

* Sie haben sich im Vergnügungspark        funfair
  sehr amüsiert.

* Ich habe von der Touristeninformation        tourist office
  einen Stadtplan erhalten.

* Ich danke dir für die Postkarte aus Rom.      postcard

* Jetzt, da die Sonne scheint, kann ich meine
  Sonnenbrille nicht finden.        sunglasses

* Am welchen Bahnhof steige ich aus?        station

## OCCUPATIONS

| | |
|---|---|
| shoe repairer<br>der Schuster | The shoe repairer mends shoes.<br>Der Schuster repariert Schuhe. |
| stewardess<br>die Stewardess | The air stewardess is very helpful.<br>Die Stewardess im Flugzeug ist sehr hilfsbereit. |
| interpreter<br>der Dolmetscher | The interpreter speaks seven languages.<br>Der Dolmetscher spricht sieben Sprachen. |
| representative<br>der Vertreter | He is a sales representative.<br>Er ist ein kaufmännischer Vertreter. |
| tradesman, shopkeeper<br>der Händler | The tradesman is doing very well.<br>Der Händler macht seine Sache sehr gut. |
| mechanic<br>der Mechaniker | The mechanic repaired my bicycle.<br>Der Mechaniker hat mein Fahrrad repariert. |
| bookseller<br>der Buchhändler | The book is available from your bookseller.<br>Das Buch ist bei ihrem Buchhändler erhältlich. |
| fashion designer<br>der Modeschöpfer | The fashion designer is showing his new collection.<br>Der Modeschöpfer zeigt seine neue Kollektion. |
| typist<br>die Schreibkraft | We are looking for a bilingual typist.<br>Wir suchen eine zweisprachige Schreibkraft. |
| chemist<br>der Chemiker | The chemist is tidying up his laboratory.<br>Der Chemiker räumt sein Labor auf. |

## I. Translate.

* mechanic     : der Mechaniker
* interpreter     : der Dolmetscher
* bookseller     : der Buchhändler
* typist     : die Schreibkraft
* tradesman     : der Händler
* chemist     : der Chemiker

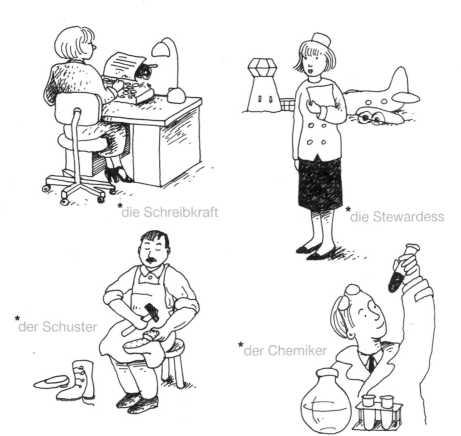

*die Schreibkraft

*die Stewardess

*der Schuster

*der Chemiker

## II. Fill in the missing words.

* Ein Händler verkauft den Kunden
  seine Waren.                              shopkeeper

* Eine gute Schreibkraft kann
  diesen Text in einer Stunde tippen.      typist

* Der Mechaniker hatte schmutzige Hände.   mechanic

* Der Buchhändler hat über 20,000 Bücher   bookseller
  auf Lager.

* Der Chemiker analysiert die              chemist
  Zusammenstellung des gefährlichen
  Produktes.

## TIME

| | |
|---|---|
| annually<br>jährlich | They meet annually.<br>Sie treffen sich jährlich. |
| monthly<br>monatlich | I have paid my monthly expenses.<br>Ich habe meine monatlichen Kosten bezahlt. |
| past<br>die Vergangenheit | The police are interested in his past.<br>Die Polizei ist an seiner Vergangenheit interessiert. |
| present<br>die Gegenwart | We live in the present.<br>Wir leben in der Gegenwart. |
| future<br>die Zukunft | What has the future got in store for us?<br>Was hat die Zukunft für uns auf Lager? |
| the previous day<br>der Tag zuvor | We were in London the previous day.<br>Am Tag zuvor waren wir in London. |
| the next day<br>der nächste Tag | They are leaving the next day.<br>Sie reisen am nächsten Tag ab. |
| moment<br>der Augenblick | One moment, please.<br>Einen Augenblick, bitte. |
| the day before yesterday<br>vorgestern | The day before yesterday was Monday.<br>Vorgestern war Montag. |
| the day after tomorrow<br>übermorgen | The day after tomorrow is Friday.<br>Übermorgen ist Freitag. |

## I. Translate.

* past                          : die Vergangenheit
* monthly                       : monatlich
* the day before yesterday      : vorgestern
* the previous day              : der Tag zuvor
* annually                      : jährlich
* the day after tomorrow        : übermorgen
* moment                        : der Augenblick

\* die Vergangenheit    \* die Gegenwart    \* die Zukunft

## II. Fill in the missing words.

\* Er kommt übermorgen zurück.    day after tomorrow

\* 'Nächstes Jahr' ist in der Zukunft.    future

\* Der Zeitablauf ist in drei Teile geteilt:
die Vergangenheit, die Gegenwart und    present
die Zukunft.

\* Kannst du einen Augenblick warten, bitte?    moment

\* Viele Händler waren bei der jährlichen    annual
Ausstellung.

## THE EARTH AND NATURE

volcano
der Vulkan

The volcano is still active.
Der Vulkan ist immer noch aktiv.

rock
der Fels

She is sunbathing on a rock.
Sie sonnt sich auf einem Fels.

waterfall
der Wasserfall

The waterfall is dangerous.
Der Wasserfall ist gefährlich.

plateau, tableland
die Hochebene

The town is on a plateau.
Die Stadt liegt auf einer Hochebene.

bush
der Busch

He is hiding in a bush.
Er versteckt sich in einem Busch.

poplar
die Pappel

The poplar has a huge trunk.
Die Pappel hat einen riesigen Stamm.

stream, brook
der Bach

There is no water left in the stream.
Der Bach führt kein Wasser mehr.

hail
der Hagel

The hail damaged the crops.
Der Hagel hat dem Getreide Schaden zugefügt.

flooding
die Überschwemmung

The rain causes flooding.
Der Regen verursacht Überschwemmung.

valley
das Tal

They live in a lovely valley in the mountains.
Sie leben in einem schönen Tal zwischen den Bergen.

### I. Translate.

* stream        : der Bach
* bush          : der Busch
* volcano       : der Vulkan
* flooding      : die Überschwemmung
* waterfall     : der Wasserfall
* valley        : das Tal
* rock          : der Fels
* hail          : der Hagel

## II. Fill in the missing words.

* In den Bergen gibt es viele Wasserfälle.          waterfalls
* Ein Bach ist viel kleiner als ein Fluß.           stream

* Die Pappel ist ein sehr großer Baum.              poplar

* Da sind so viele Büsche, daß man                  bushes
  Schwierigkeiten hat, durch den Wald zu
  gehen.

* Dieses Tal hat einen hübschen Bach.               valley

*der Wasserfall

*die Pappel

*der Fels

*der Busch

## COUNTRIES AND THEIR INHABITANTS

|  | country | inhabitants |
|---|---|---|
| Albania | Albanien | der (die) Albanier(in) |
| Algeria | Algerien | der (die) Algerier(in) |
| America | Amerika | der (die) Amerikaner(in) |
| Argentina | Argentinien | der (die) Argentinier(in) |
| Australia | Australien | der (die) Australier(in) |
| Austria | Österreich | der (die) Österreicher(in) |
| Belgium | Belgien | der (die) Belgier(in) |
| Brazil | Brasilien | der (die) Brasilianer(in) |
| Bulgaria | Bulgarien | der Bulgare (die Bulgarin) |
| China | China | der Chinese (die Chinesin) |
| Czechoslovakia | die Tschechoslowakei | der Tschechoslowake |
| Denmark | Dänemark | der Däne (die Dänin) |
| Egypt | Ägypten | der (die) Ägypter(in) |
| England | England | der (die) Engländer(in) |
| Finland | Finnland | der Finne (die Finnin) |
| France | Frankreich | der Franzose (die Französin) |
| Germany | Deutschland | der Deutscher (die Deutsche) |
| Great Britain | Großbritannien | der Brite (die Britin) |
| Greece | Griechenland | der Grieche (die Griechin) |
| Hungary | Ungarn | der (die) Ungar(in) |
| Ireland | Irland | der Ire (die Irin) |
| Iran | Iran | der (die) Iraner(in) |
| Iraq | Irak | der (die) Iraker(in) |
| Italy | Italien | der (die) Italiener(in) |
| Japan | Japan | der (die) Japaner(in) |
| Luxembourg | Luxemburg | der (die) Luxemburger(in) |
| Marocco | Marokko | der (die) Marokkaner(in) |
| Mexico | Mexiko | der (die) Mexikaner(in) |
| Netherlands | die Niederlande | der (die) Holländer(in) |
| New Zealand | Neuseeland | der (die) Neuseeländer(in) |
| Norway | Norwegen | der (die) Norweger(in) |
| Poland | Polen | der Pole (die Polin) |
| Portugal | Portugal | der Portugiese (die Portugiesin) |
| Romania | Rumänien | der Rumäne (die Rumänin) |
| Russia | Rußland | der Russe (die Russin) |
| Scotland | Schottland | der Schotte (die Schottin) |
| Spain | Spanien | der (die) Spanier(in) |
| Sweden | Schweden | der Schwede (die Schwedin) |
| Switzerland | die Schweiz | der (die) Schweizer(in) |
| Turkey | die Türkei | der Türke (die Türkin) |
| Wales | Wales | der Waliser (die Walisin) |
| Yugoslavia | Jugoslawien | der Jugoslawe (die Jugoslawin) |

| | | | |
|---|---|---|---|
| one | : eins | eleven | : elf |
| two | : zwei | twelve | : zwölf |
| three | : drei | thirteen | : dreizehn |
| four | : vier | fourteen | : vierzehn |
| five | : fünf | fifteen | : fünfzehn |
| six | : sechs | sixteen | : sechzehn |
| seven | : sieben | seventeen | : siebzehn |
| eight | : acht | eighteen | : achtzehn |
| nine | : neun | nineteen | : neunzehn |
| ten | : zehn | twenty | : zwanzig |

| | |
|---|---|
| thirty | : dreißig |
| forty | : vierzig |
| fifty | : fünfzig |
| sixty | : sechzig |
| seventy | : siebzig |
| eighty | : achtzig |
| ninety | : neunzig |
| one hundred | : hundert |

| | |
|---|---|
| thirty-one | : einunddreißig |
| thirty-two | : zweiunddreißig |
| forty-one | : einundvierzig |
| forty-two | : zweiundvierzig |
| fifty-two | : zweiundfünfzig |
| seventy-four | : vierundsiebzig |
| ninety-eight | : achtundneunzig |

| | |
|---|---|
| one hundred and one | : hunderteins |
| one hundred and two | : hundertzwei |
| two hundred | : zweihundert |
| six hundred | : sechshundert |

| | |
|---|---|
| one thousand | : tausend |
| four thousand | : viertausend |
| ten thousand | : zehntausend |
| one hundred thousand | : hunderttausend |
| one million | : eine Million |
| ten million | : zehn Million |

| | |
|---|---|
| one billion | : eine Milliarde |

## DAYS AND MONTHS

### DAYS

| | |
|---|---|
| Monday | Montag |
| Tuesday | Dienstag |
| Wednesday | Mittwoch |
| Thursday | Donnerstag |
| Friday | Freitag |
| Saturday | Samstag |
| Sunday | Sonntag |

### MONTHS

| | |
|---|---|
| January | Januar |
| February | Februar |
| March | März |
| April | April |
| May | Mai |
| June | Juni |
| July | Juli |
| August | August |
| September | September |
| October | Oktober |
| November | November |
| December | Dezember |

**present, future and perfect tense**

### TO BE (present)                    SEIN

| | |
|---|---|
| I am | ich bin |
| you are | du bist (familiar singular) |
| he is | er ist |
| she is | sie ist |
| it is | es ist |
| we are | wir sind |
| you are | ihr seid (familiar plural) |
| they are | sie sind |
| you are | Sie sind (formal singular and plural) |

### TO BE (future)                    SEIN

| | |
|---|---|
| I will be | ich werde sein |
| you will be | du wirst sein |
| he will be | er wird sein |
| she will be | sie wird sein |
| it will be | es wird sein |
| we will be | wir werden sein |
| you will be | ihr werdet sein |
| they will be | sie werden sein |
| you will be | Sie werden sein |

### TO BE (perfect)

| | |
|---|---|
| I have been | ich bin gewesen |
| you have been | du bist gewesen |
| he has been | er ist gewesen |
| she has been | sie ist gewesen |
| it has been | es ist gewesen |
| we have been | wir sind gewesen |
| you have been | ihr seid gewesen |
| they have been | sie sind gewesen |
| you have been | Sie sind gewesen |

**present, future and perfect tense**

### TO HAVE (present)                    HABEN

| | |
|---|---|
| I have | ich habe |
| you have | du hast |
| he has | er hat |
| she has | sie hat |
| it has | es hat |
| we have | wir haben |
| you have | ihr habt |
| they have | sie haben |
| you have | Sie haben |

### TO HAVE (future)                    HABEN

| | |
|---|---|
| I will have | ich werde haben |
| you will have | du wirst haben |
| he will have | er wird haben |
| she will have | sie wird haben |
| it will have | es wird haben |
| we will have | wir werden haben |
| you will have | ihr werdet haben |
| they will have | sie werden haben |
| you will have | Sie werden haben |

### TO HAVE (perfect)                    HABEN

| | |
|---|---|
| I have had | ich habe gehabt |
| you have had | du hast gehabt |
| he has had | er hat gehabt |
| she has had | sie hat gehabt |
| it has had | es hat gehabt |
| we have had | wir haben gehabt |
| you have had | ihr habt gehabt |
| they have had | sie haben gehabt |
| you have had | Sie haben gehabt |

### present, future and perfect tense

**TO PLAY (present)**  SPIELEN

| | |
|---|---|
| I play | ich spiele |
| you play | du spielst |
| he plays | er spielt |
| she plays | sie spielt |
| it plays | es spielt |
| we play | wir spielen |
| you play | ihr spielt |
| they play | sie spielen |
| you play | Sie spielen |

**TO PLAY (future)**  SPIELEN

| | |
|---|---|
| I will play | ich werde spielen |
| you will play | du wirst spielen |
| he will play | er wird spielen |
| she will play | sie wird spielen |
| it will play | es wird spielen |
| we will play | wir werden spielen |
| you will play | ihr werdet spielen |
| they will play | sie werden spielen |
| you will play | Sie werden spielen |

**TO PLAY (perfect)**  SPIELEN

| | |
|---|---|
| I have played | ich habe gespielt |
| you have played | du hast gespielt |
| he has played | er hat gespielt |
| she has played | sie hat gespielt |
| it has played | es hat gespielt |
| we have played | wir haben gespielt |
| you have played | ihr habt gespielt |
| they have played | sie haben gespielt |
| you have played | Sie haben gespielt |

**present, future and perfect tense**

### TO SEE (present)                 SEHEN

| | |
|---|---|
| I see | ich sehe |
| you see | du siehst |
| he sees | er sieht |
| she sees | sie sieht |
| it sees | es sieht |
| we see | wir sehen |
| you see | ihr seht |
| they see | sie sehen |
| you see | Sie sehen |

### TO SEE (future)                 SEHEN

| | |
|---|---|
| I will see | ich werde sehen |
| you will see | du wirst sehen |
| he will see | er wird sehen |
| she will see | sie wird sehen |
| it will see | es wird sehen |
| we will see | wir werden sehen |
| you will see | ihr werdet sehen |
| they will see | sie werden sehen |
| you will see | Sie werden sehen |

### TO SEE (perfect)                 SEHEN

| | |
|---|---|
| I have seen | ich habe gesehen |
| you have seen | du hast gesehen |
| he has seen | er hat gesehen |
| she has seen | sie hat gesehen |
| it has seen | es hat gesehen |
| we have seen | wir haben gesehen |
| you have seen | ihr habt gesehen |
| they have seen | sie haben gesehen |
| you have seen | Sie haben gesehen |

# INDEX